기 준

플라토

PLATO

E4

공간지각 | 초5

사고가 자라는 수학
씨투엠

PLATO

플라토가 제안하는 도형 학습법

도형 학습지 플라토를 처음 기획하던 때의 기억이 선명하네요. 처음에는 아이들에게 그다지 필요하지 않을 거라 생각해서 소수의 학원에서만 풀리는 교재로 생각했는데 교재가 모양을 갖추어가자 점점 모든 아이들이 즐겁게 도형을 풀 수 있는 책이 만들어질 거라는 확신이 들었지요.

처음 교재를 쓰면서 놓치지 않고 싶었던 콘셉트는 딱 이거였어요.
"쉽고! 가볍게!"
쉬운 교재를 쓴다는 것이 결코 쉽지 않았답니다. 쓰다 보면 어느새 높은 수준의 공간 감각을 요구하는 어려운 문제가 막 튀어나오고 난리도 아니었지요. 그럴 때마다 '아니야, 이 책은 정말 쉽고 가벼워야 해. 아이들이 술술 풀 수 있는 학습지여야 한다고!' 하며 다시 마음을 다잡고 어려운 문제를 빼고 다시 쓰기를 반복했답니다.

우여곡절 끝에 나온 '플라토'를 지난 6년 정도의 시간 동안 정말 깜짝 놀랄 만큼 많은 아이들이 선택하여 풀게 되었지요. 처음 생각했던 가볍고 쉬운 도형 학습지라는 콘셉트가 많은 부모와 아이들에게 받아들여졌다는 사실이 저자로서 무척이나 기쁘고 정말 뿌듯하답니다. 플라토가 단순히 도형을 체계직으로 학습하기 위한 학습지라는 개념을 넘어, 아이들이 도형, 더 나아가 수학에 대한 자신감을 가질 수 있게 하는 수학 학습의 시작점이 되었다는 사실이 무엇보다 자랑스럽습니다.

아이들을 위한 수학책을 집필하면서 수학 때문에 힘들어하는 아이들에게 또 하나의 짐을 더 지워주는 것이 아닌가 하는 걱정이 있었어요. 도형 학습지 플라토가 초등 도형 학습이라는 새로운 영역을 개척하며 점점 성장하는 것과 함께 어쩌면 도형도 따로 공부해야 한다는 또 다른 짐이 되어버린 것 같아 아쉽기도 했지요. 하지만 지난 몇 년간 플라토를 푼 많은 아이들이 올려준 후기를 보면서 저희의 걱정이 지나쳤다는 확신이 생겼답니다. 플라토를 푼 아이들, 플라토로 수학을 시작한 아이들은 수학이 괴롭고 힘들다는 인식 대신, 수학을 가볍고 부담 없고 만만한 것으로 받아들이게 되는 과정을 몸소 보여주었어요. 이것은 저희가 처음에 플라토를 기획했던 때에 기대했던 반응과 효과를 넘어선 정말 커다란 수학 학습의 변화라고 자평한답니다.

많은 사랑을 받았던 플라토가 이제, 플라토를 접한 이들의 소중한 피드백과 함께 새로운 개정판으로 다시 태어났어요. 원래 플라토가 가지고 있던 장점은 그대로 가진 채, 좀 더 예뻐지고, 좀 더 친절해지고, 좀 더 풍성해진 모습으로 다시 한번 아이들에게 다가가려 합니다. 이러한 작은 변화가 아무쪼록 여전히 수학, 그리고 도형으로 고민하는 많은 부모와 아이들에게 기쁜 소식이 되었으면 해요.

새로운 플라토, 잘 부탁드리고, 또 많은 관심과 의견 보내주시면 정말 고마울 거예요.

2022년 지식과상상연구소 드림

도형학습, 자주 묻는 질문과 답변

질문 1 도형 학습 반드시 필요할까요? 또는 어떤 아이들에게 필요할까요?

도형 영역의 성취도가 다른 영역에 비해 확연하게 높은 아이들과 선천적으로 공감 감각이 뛰어난 친구에게는 필요하지 않겠지요. 그러나 초등학교의 도형 학습은 단원 간 시간 간격이 상당히 크기 때문에 아이들이 도형의 기본 개념을 연계하여 학습하지 못하는 어려움이 있고, 이러한 어려움이 누적되면 훨씬 어려운 중학교 도형 영역에서 힘들어하는 경우가 많답니다. 이 때문에 좀 더 도형을 체계적으로 꾸준하게 하고 싶다는 아이들에게는 반드시 추천합니다.

특히 도형을 어려워하거나 싫어하는 친구들에게 플라토는 특효약이 될 수도 있다는 점 잊지 마세요.

질문 2 도형 학습은 교구가 반드시 필요한가요?

영유아기에 도형 교구를 다루어 본 아이들과 그렇지 않은 아이들은 초등 단계에서 유의미한 도형 학습의 성취도 차이를 보이기는 합니다. 그러므로 3세~7세의 아이들에게 도형 교구를 노출시켜주어야 한다고 생각해요. 유아 단계에서는 놀이를 중심으로 한 교구 학습을 추천하고, 플라토를 시작하고 진행하는 단계에서는 교구를 도형 학습의 보조 도구로 활용하는 것이 좋을 것 같습니다. 예를 들어 플라토를 풀다가 거울에 비친 모양을 어려워한다면 거울 교구를, 칠교를 어려워한다면 칠교 교구를 직접 만지면서 문제를 푸는 것이 학습 효과를 높일 수 있지요. 플라토 개정판에서는 연관 교구를 표시해 두었고, 일부 교구재를 교재와 함께 제공하고 있습니다.

질문 3 반드시 추천하는 도형 교구가 있나요?

반드시 필요한 도형 교구라면 교과서에 등장하는 도형 교구라고 생각해요. 패턴블록, 거울(리플렉터), 칠교, 펜토미노, 쌓기나무, 입체 모형, 지오보드 등이 교과서에 빠지지 않고 등장하는 교구이지요. 이러한 교구를 한 번에 묶어서 구성해 놓은 것이 플라토 주머니랍니다. 필요하신 분은 검색해 보세요!

질문 4 아이가 플라토를 너무 빨리 풀어요. 어떻게 해야 할까요?

입문 단계의 플라토는 정말 쉽게 만들었기 때문에 어떤 아이들은 한 달 분량의 교재를 1주일이나 빠르게는 2~3일 만에 풀곤 한답니다. 아이가 학습지를 스스로의 의지로 빨리 풀어낸다는 것은 좋은 일이지요. 칭찬해주어야 마땅합니다. 6세~2학년 정도까지는 도형 학습에 있어 좀 더 윗 단계를 푸는 것도 크게 어렵지 않습니다. 그래서 아이 연령에서 2단계~3단계 위까지는 아이가 속도감 있게 풀면서 쭉 나가주어도 괜찮아요. 그러다가 아이들이 학교에서 배워야만 풀 수 있는 주제가 나올 때 잠시 멈추고 연산/사고력 문제집을 풀게 하는 것이 좋습니다. 윗 단계의 도형 학습을 수월하게 진행하려면 연산 학습과 사고력 학습도 같이 진행하는 것이 좋기 때문입니다.

질문 5 플라토만으로 도형 학습을 다 했다고 할 수 있을까요? 너무 쉬운 문제만 푸는 게 아닐까 불안해요.

플라토는 분명 쉬운 교재이지만 초등 수학 수준에 필요한 난이도의 도형 문항은 모두 수록되어 있답니다. 하지만 아이들에 따라 도형 학습에 재미를 붙이는 단계에서 좀 더 수준 높은 문제로 공간 감각과 사고력을 키우고 싶을 수도 있지요. 이런 경우 사고력수학 교재의 도형 영역으로 좀 더 심화된 학습을 하는 것을 추천합니다. 또한 우리 플라토도 좀 더 확장된 도형 학습을 필요로 하는 아이들을 위한 심화 교재를 준비하고 있으니 기대해주세요!

플라토 전체 커리

교재		S(6세)	P(7세)	A(초등학교 1학년)
1권 평면규칙	1주차	점과 선	도형 그리기	점과 선의 수
	2주차	똑같은 모양	같은 도형	여러 가지 도형
	3주차	도형 세기	도형 세기	도형 세기
	4주차	도형 규칙	도형 규칙	도형 규칙
2권 도형조작	1주차	길이 비교	같은 길이	넓이 비교
	2주차	모양 붙이기	세모 붙이기	패턴블록
	3주차	모양 자르기	네모 붙이기	도형 돌리기
	4주차	거울과 위치	거울에 비친 도형	모양 만들기
3권 입체설계	1주차	입체 모양 관찰	입체도형 관찰	입체도형 연구
	2주차	블록 모양 만들기	블록 모양 만들기	여러 가지 입체
	3주차	쌓기나무	쌓기나무	쌓기나무 세기
	4주차	입체도형 세기	층층 쌓기	입체도형 추리
4권 공간지각	1주차	잘라내기	구멍난 종이	구멍난 종이
	2주차	종이 접기	종이 접기	접고 잘라내기
	3주차	투명 종이 겹치기	여러 방향 관찰	여러 방향 관찰
	4주차	모양 겹치기	도형 겹치기	겹친 실루엣

B(초등학교 2학년)	C(초등학교 3학년)	D(초등학교 4학년)	E(초등학교 5학년)	F(초등학교 6학년)
원과 다각형	직선과 각	각도기와 각	다각형의 둘레	원주와 원주율
도형 그리기	직각이 있는 도형	삼각형	합동	원을 이용한 길이
도형 세기	도형 그리기	수직과 평행	선대칭	원의 넓이
점판 그리기	패턴 무늬	다각형	점대칭	원을 이용한 넓이
길이 재기	밀기와 뒤집기	도형의 각	직사각형의 넓이	직육면체의 겉넓이
칠교판	돌리기	삼각형의 성질	평행사변형, 삼각형의 넓이	직육면체의 부피(1)
길이의 합과 차	도형의 이동	사각형의 성질	사다리꼴, 마름모의 넓이	직육면체의 부피(2)
모양 만들기	원과 길이	선 긋기와 각	다각형의 넓이	원기둥의 겉넓이와 부피
입체도형 연구	쌓기나무 그리기	입체 찍기	직육면체	각기둥
본뜬 모양	쌓기나무 세기	입체도형 포장	직육면체의 전개도	각뿔
쌓기나무 발자국	입체의 부피	쌓기나무 포장	전개도 그리기	전개도
쌓기나무 세기	큐브 블록	포장 종이 잇기	전개도와 대각선	원기둥, 원뿔, 구
색종이 공예	색종이 공예	점의 이동	점의 이동	쌓기나무의 수
여러 방향 쌓기	구멍난 종이	모양과 점의 이동	모양과 점의 이동	위, 앞, 옆 모양
투명 종이 겹치기	여러 방향 관찰	같은 모양, 다른 모양	주사위	위, 앞, 옆과 수
그림자 추리	색종이 겹치기	정다각형을 붙인 모양	뚜껑이 없는 상자	큐브 연결

이 책의 목차

1 주차

점의 이동

1_일 뒤집기

오른쪽 또는 아래로 계속 뒤집습니다. 알맞은 위치에 ● 또는 ○를 그려 보시오.

뒤집은 모양은 뒤집은
선을 기준으로 접으면
완전히 겹쳐져.

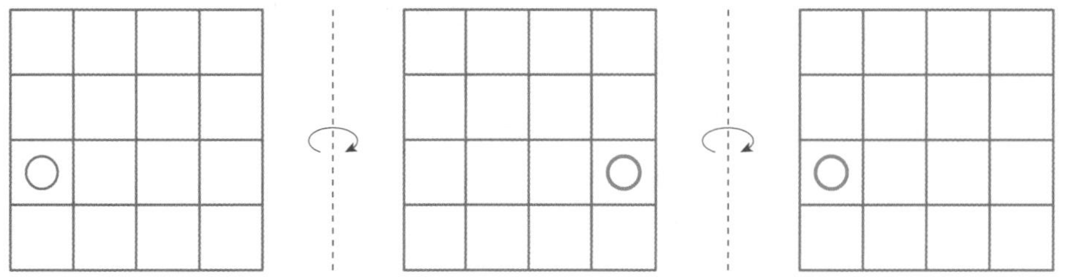

1

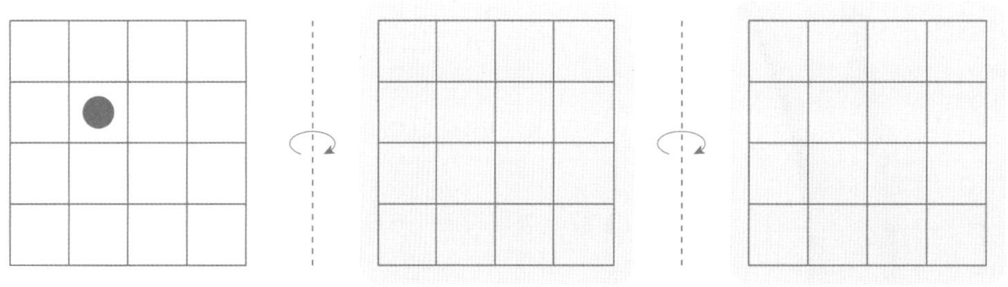

2

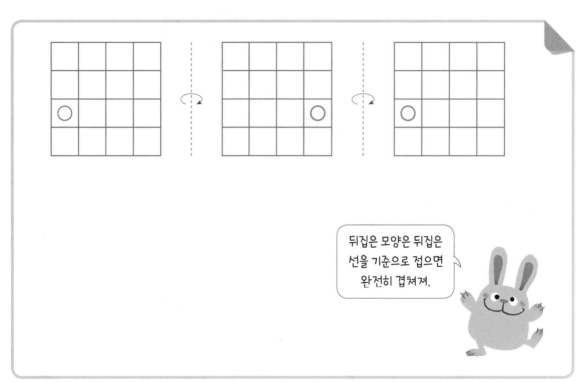

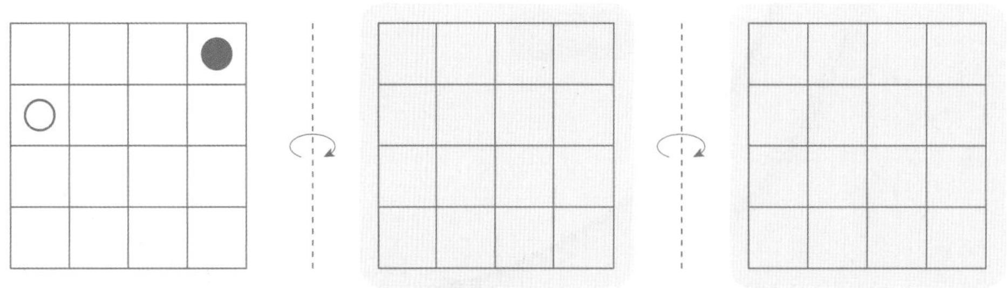

3

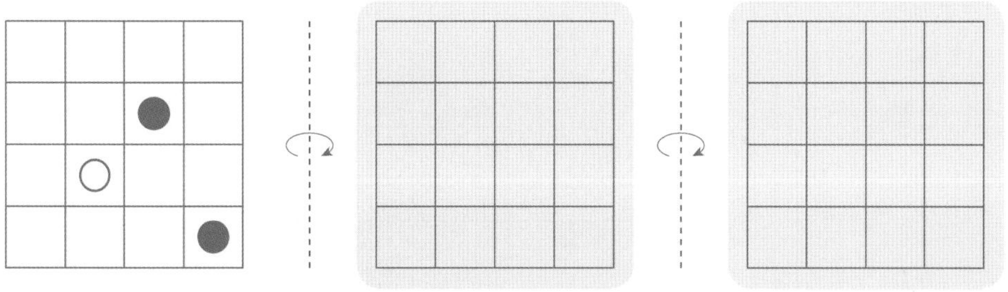

4

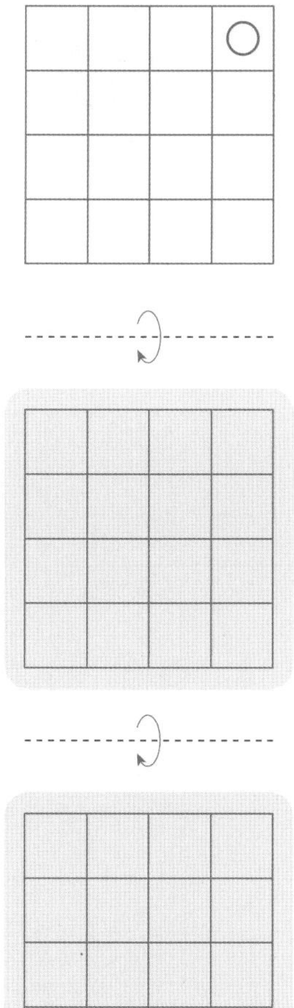

5

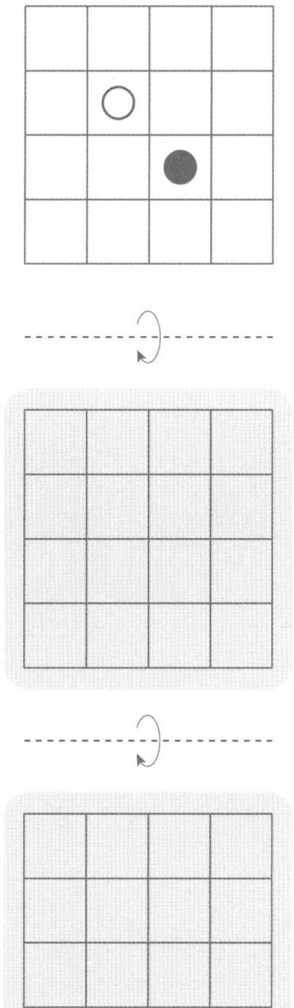

6

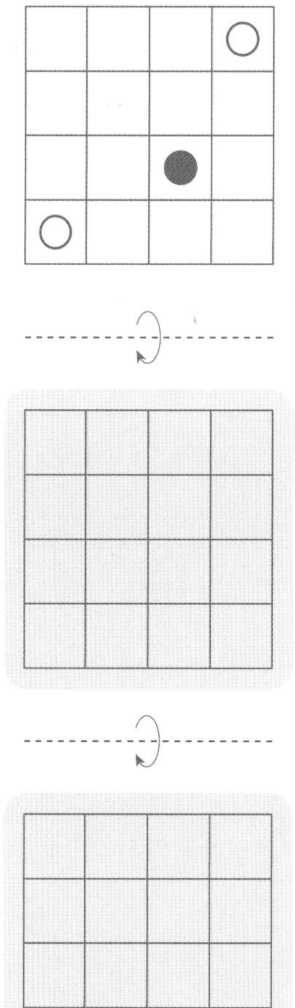

2일 뒤집어서 같은 모양

뒤집어서 겹쳐지면 같은 모양입니다. 왼쪽과 같은 모양에 ◯를 그려 보시오.

옆으로 뒤집은 모양

점이 가운데 부분이 있는지,
가장자리에 있는지,
귀퉁이에 있는지 등
점의 위치를 파악해.

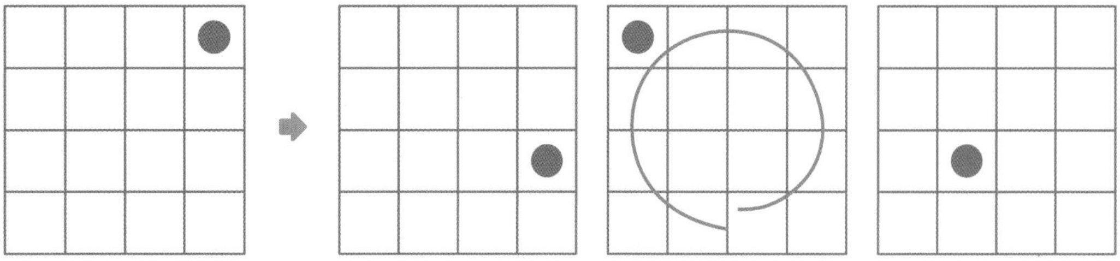

1

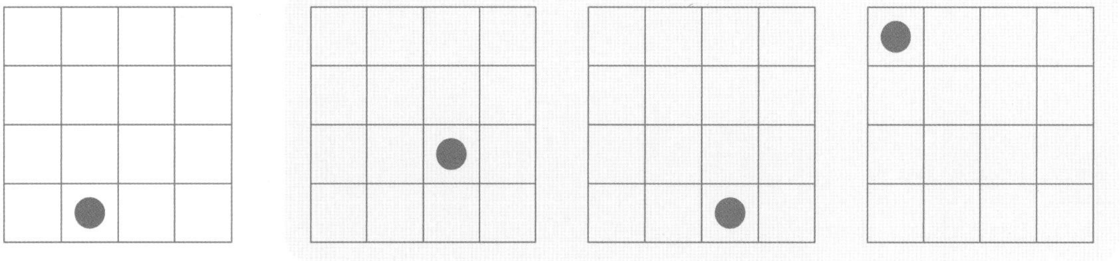

2

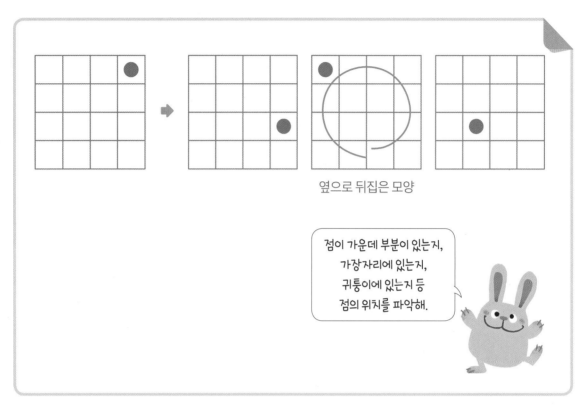

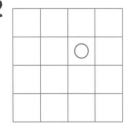

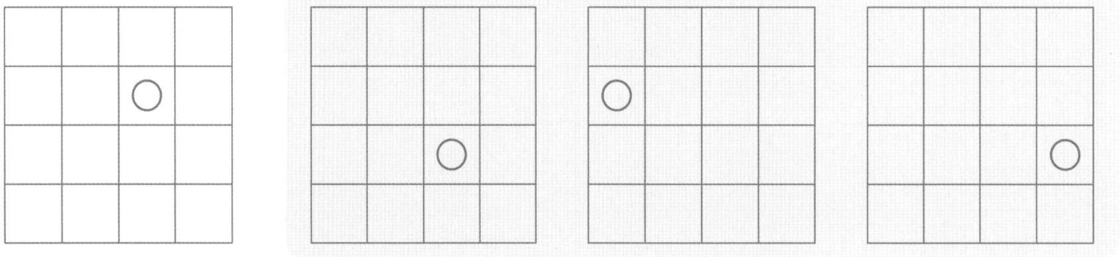

3

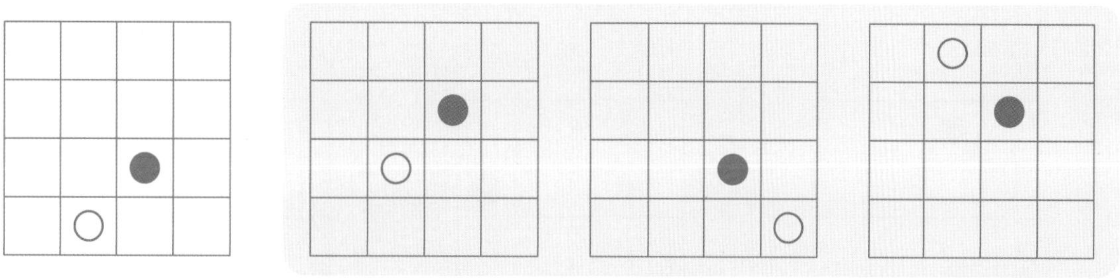

4

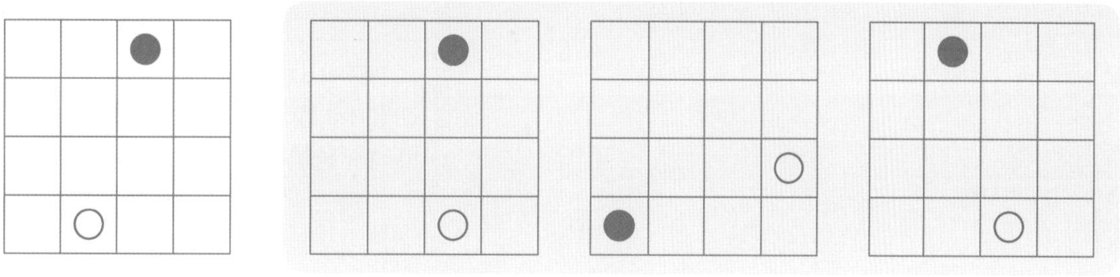

5

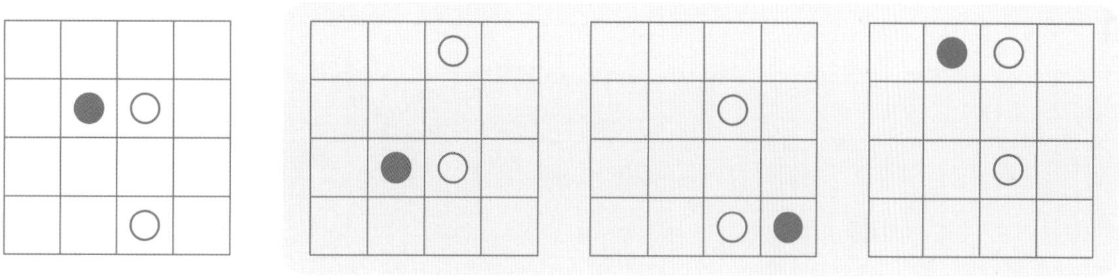

6

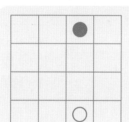

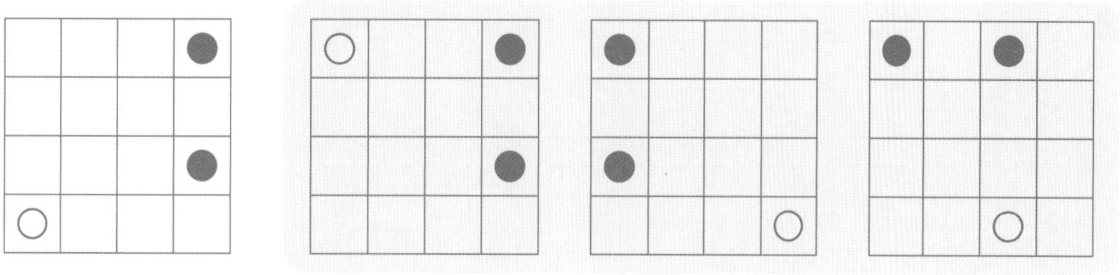

3일 돌리기

주어진 방향으로 돌립니다. 알맞은 위치에 ● 또는 ○를 그려 보시오.

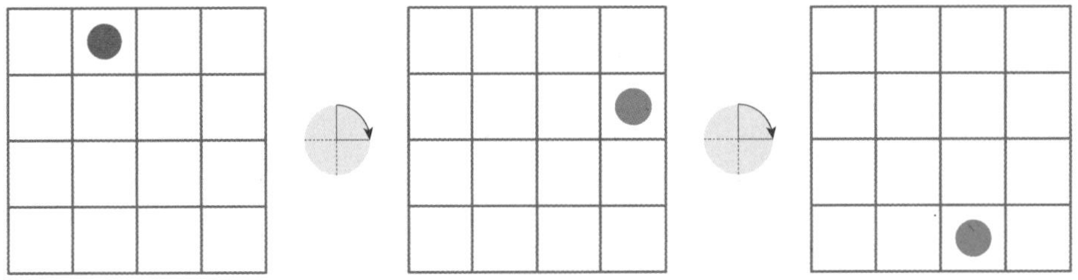

가운데 4칸과
가장자리 12칸으로
나누어서 생각해.

1

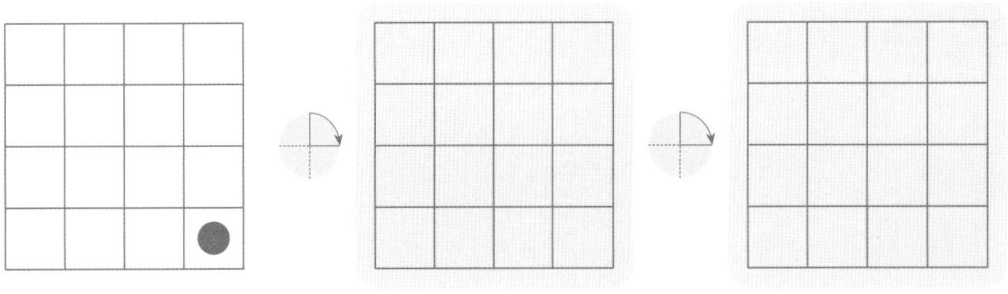

2

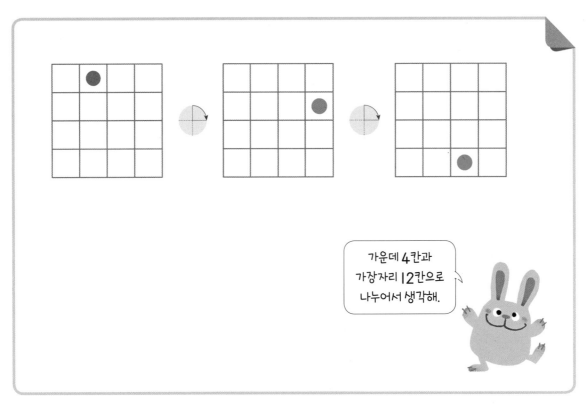

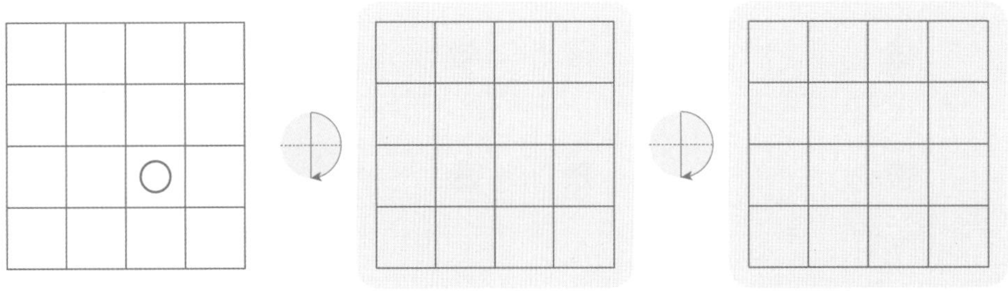

3

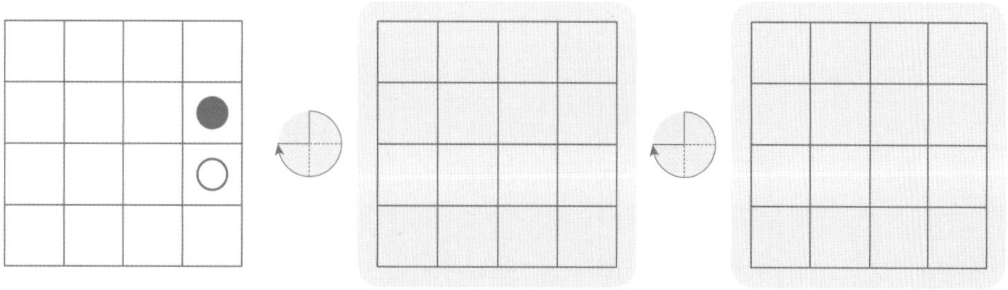

4

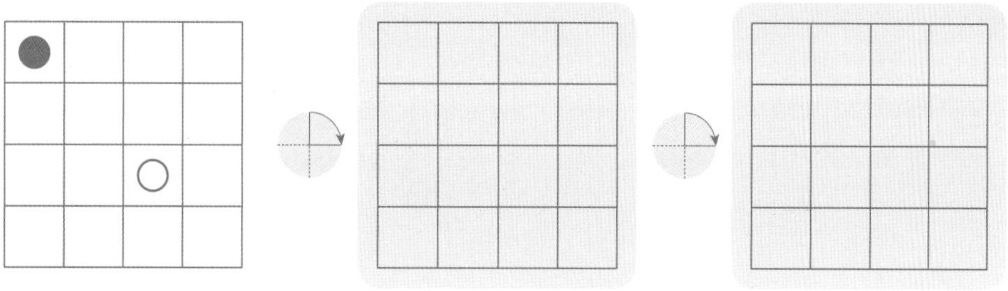

5

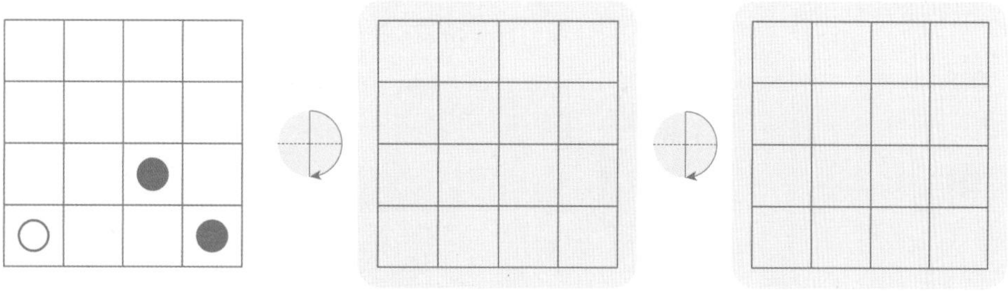

6

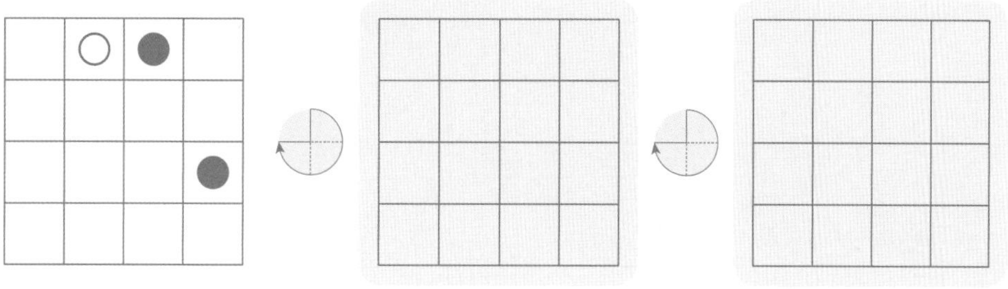

4일 돌려서 같은 모양

✏️ 돌려서 겹쳐지면 같은 모양입니다. 왼쪽과 같은 모양에 ○표 하시오.

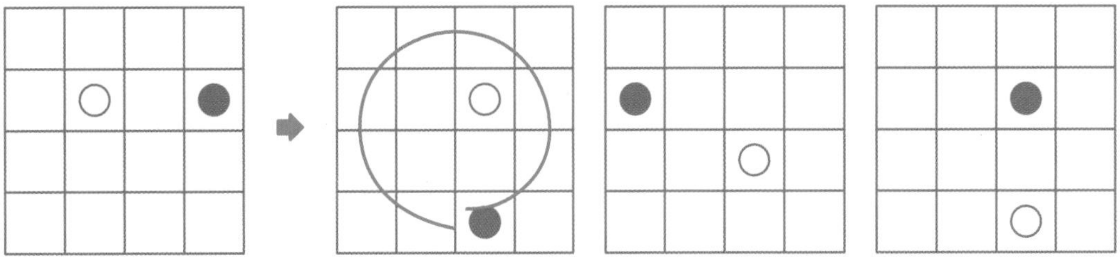

시계 방향으로 **90°** 돌린 모양

▸ 점의 위치 예시
1. ●은 가장자리에 있습니다.
2. ○은 가운데 부분에 있습니다.
3. ●과 ○ 사이에는 옆으로 1칸이 있습니다.

점의 위치 또는
점과 점 사이의
위치 관계를 살펴봐.

1

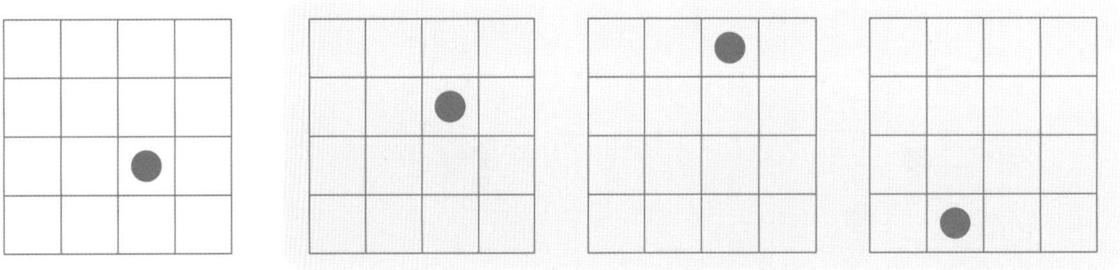

2

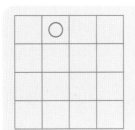

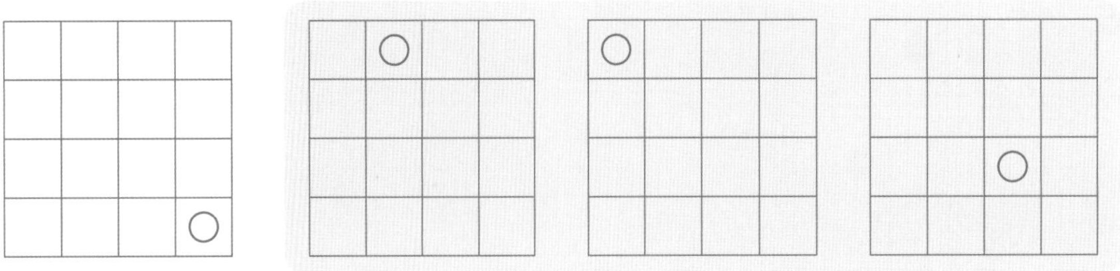

3

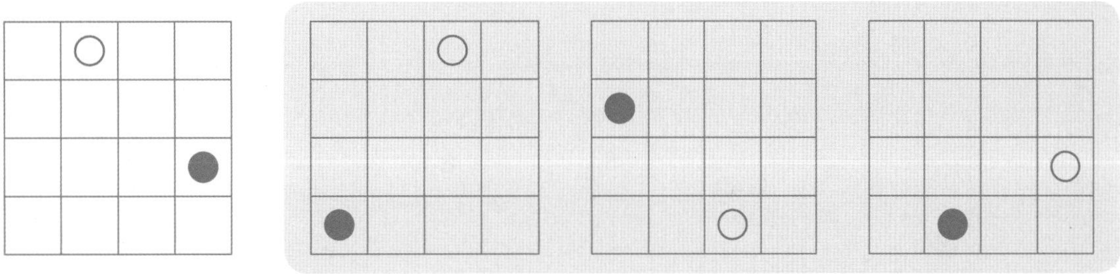

4

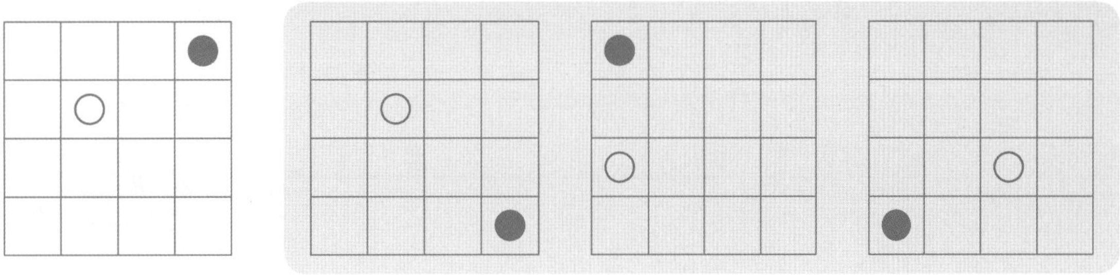

5

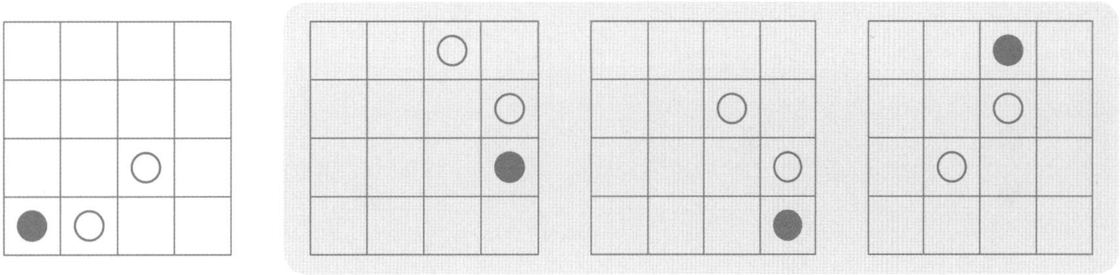

6

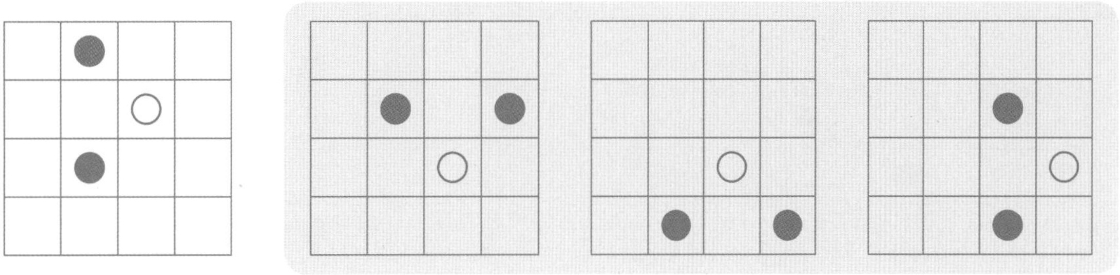

5일 같은 모양 그리기

모양을 뒤집거나 돌렸습니다. 왼쪽과 같은 모양이 되도록 알맞은 위치에 ● 또는 ○를 그려 보시오.

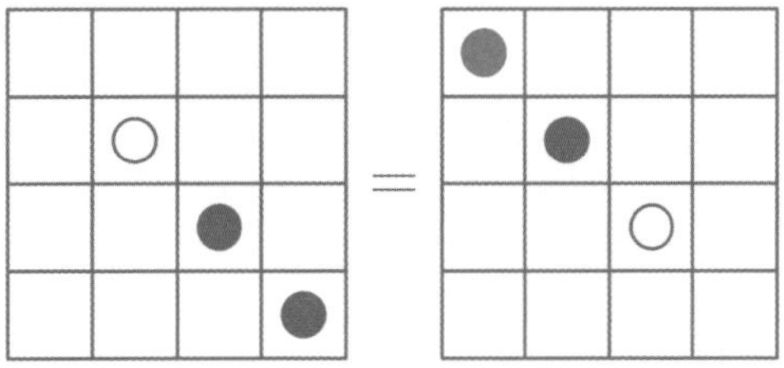

▶ 점의 위치 예시
1. ○과 ● 하나는 가운데 부분에 있습니다.
2. ● 하나는 귀퉁이에 있습니다.
3. 세 점은 대각선으로 연결됩니다.

180° 돌린 모양

점과 점 사이의 위치를 관찰해 빠진 점을 그려 넣어.

1

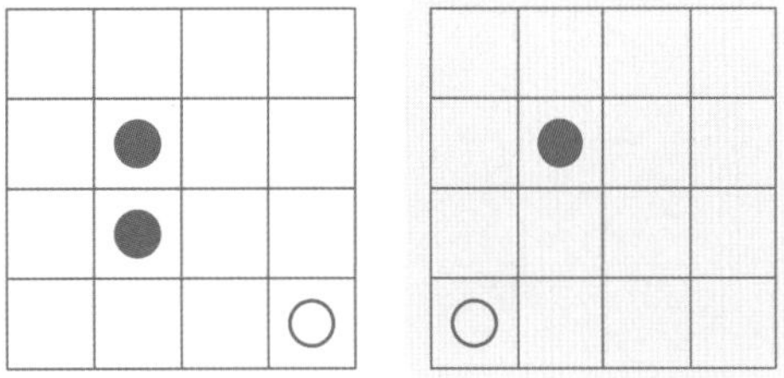

2

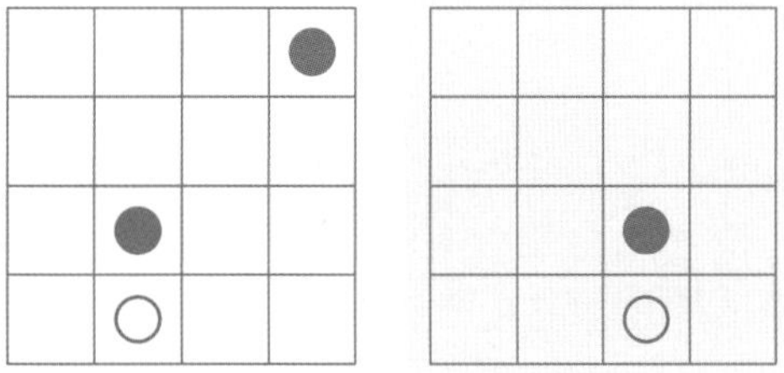

3

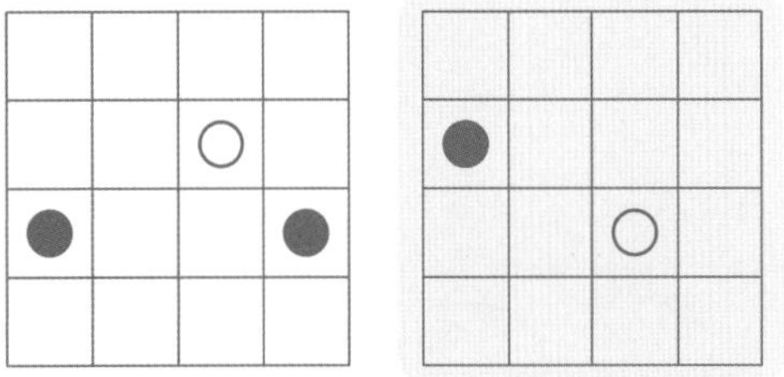

4

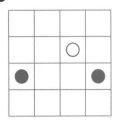

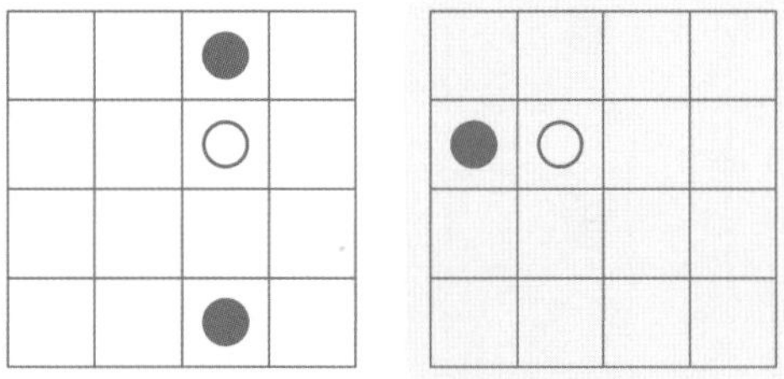

5

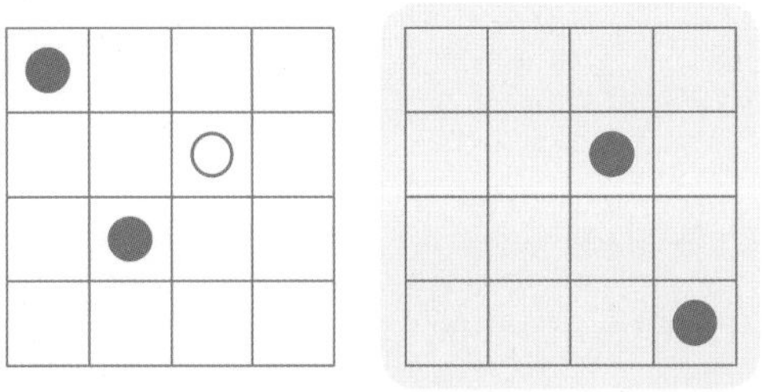

6

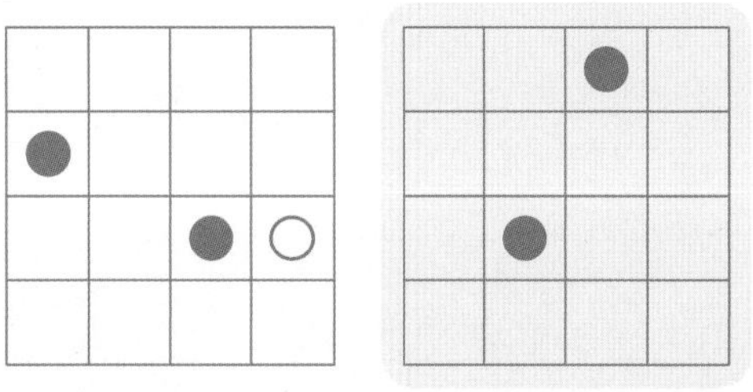

7

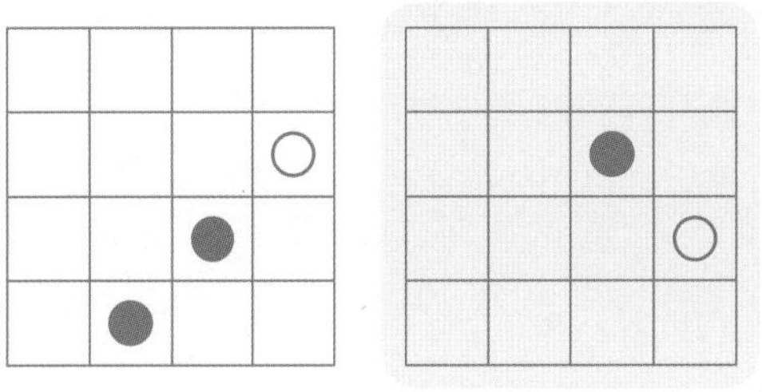

8

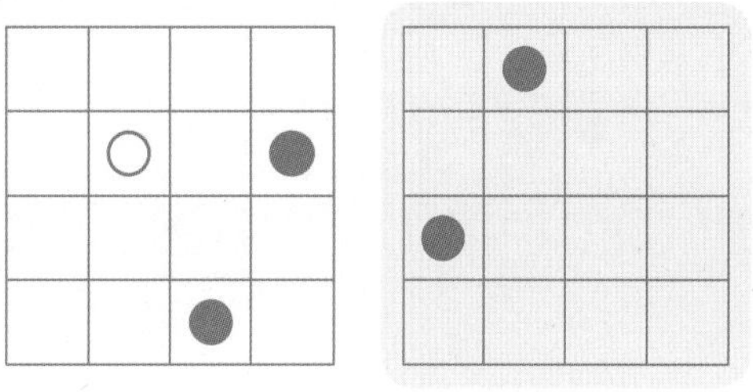

9

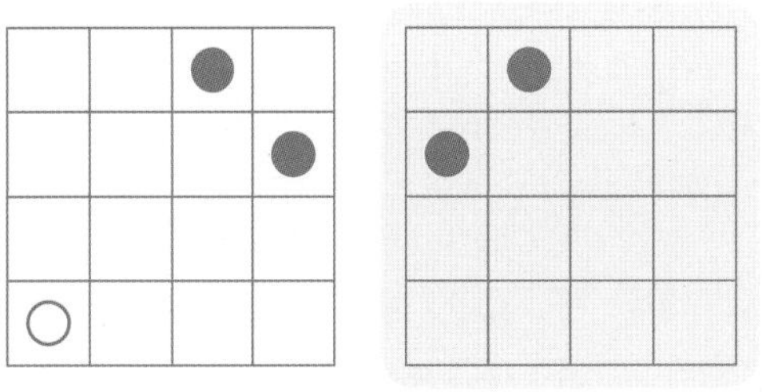

10

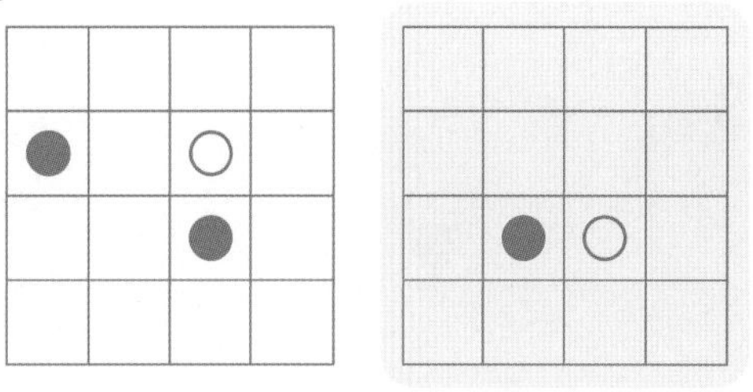

11

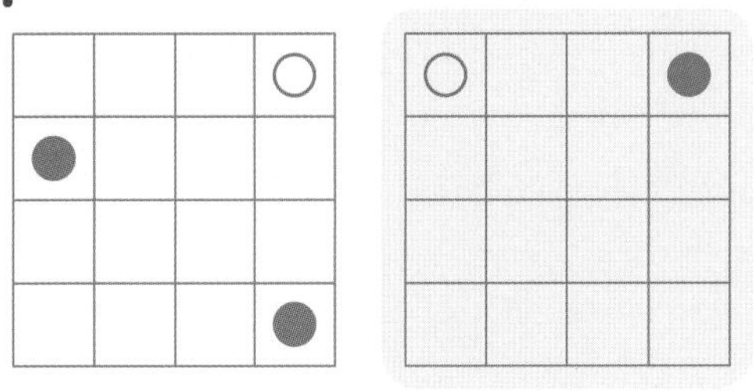

12

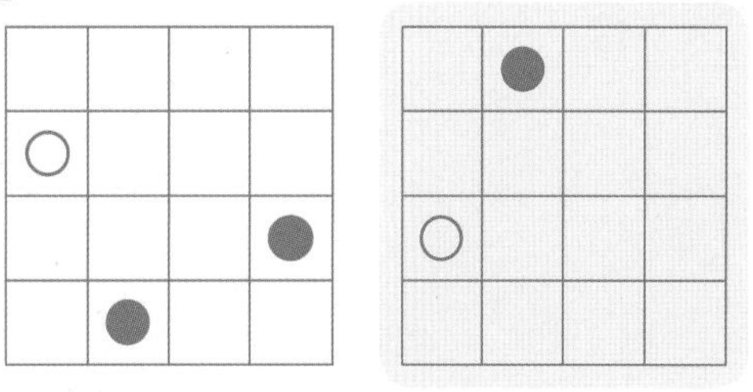

확인학습

뒤집어서 겹쳐지면 같은 모양입니다. 왼쪽과 같은 모양에 ○표 하시오.

1

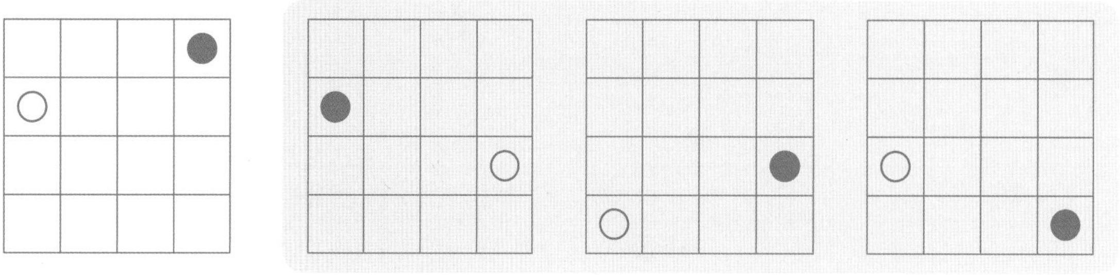

2

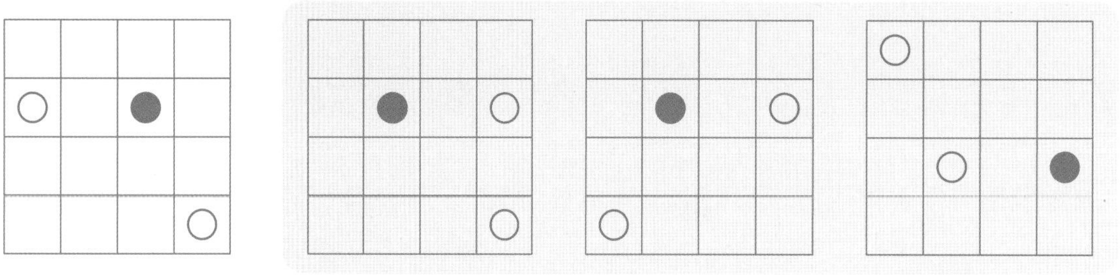

주어진 방향으로 돌립니다. 알맞은 위치에 ● 또는 ○를 그려 보시오.

3

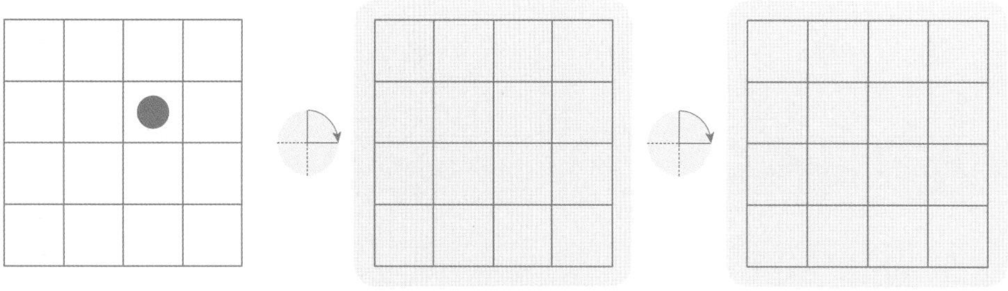

4

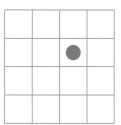

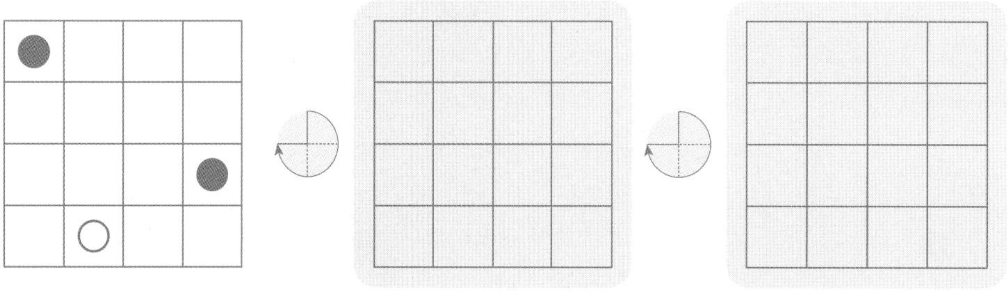

돌려서 겹쳐지면 같은 모양입니다. 왼쪽과 같은 모양에 ◯표 하시오.

5

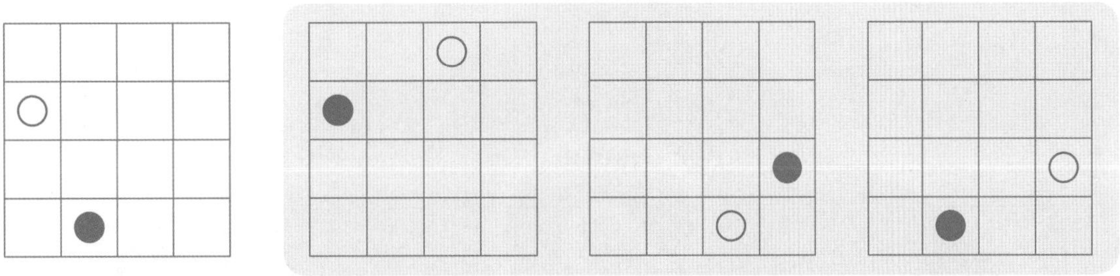

모양을 뒤집거나 돌렸습니다. 왼쪽과 같은 모양이 되도록 알맞은 위치에 ● 또는 ○를 그려 보시오.

6

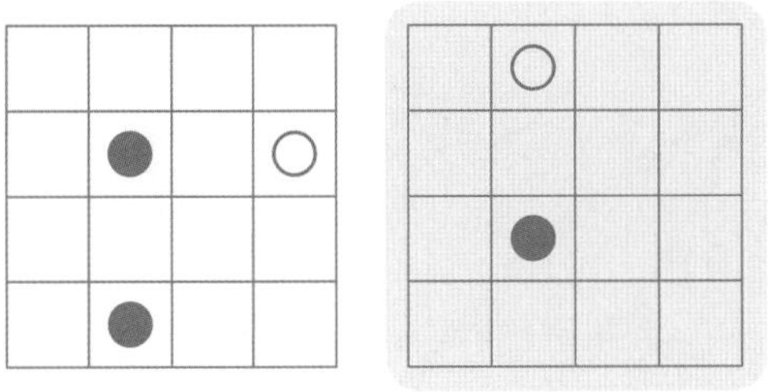

7

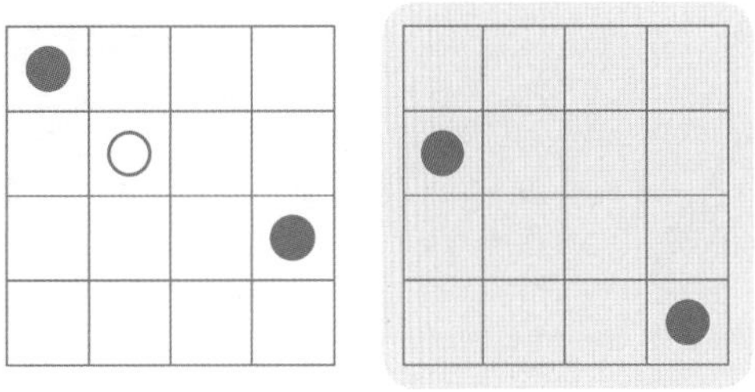

8

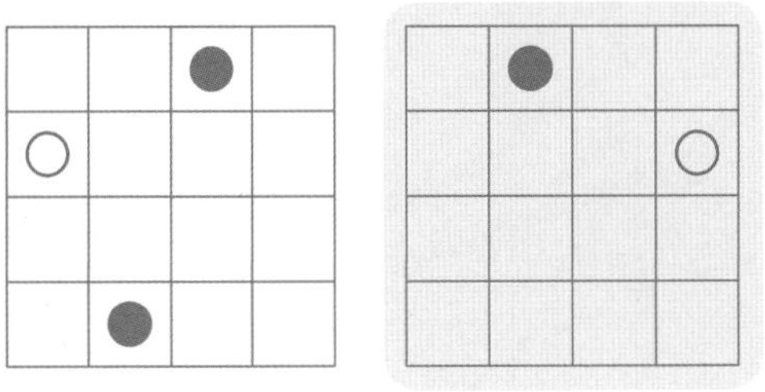

9

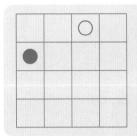

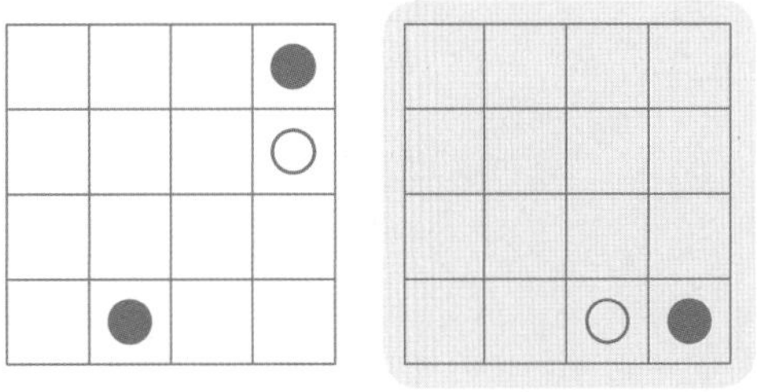

2주차

도형과 점의 이동

1일 뒤집기

✎ 오른쪽 또는 아래로 뒤집습니다. 알맞은 위치에 ● 또는 ○를 그려 보시오.

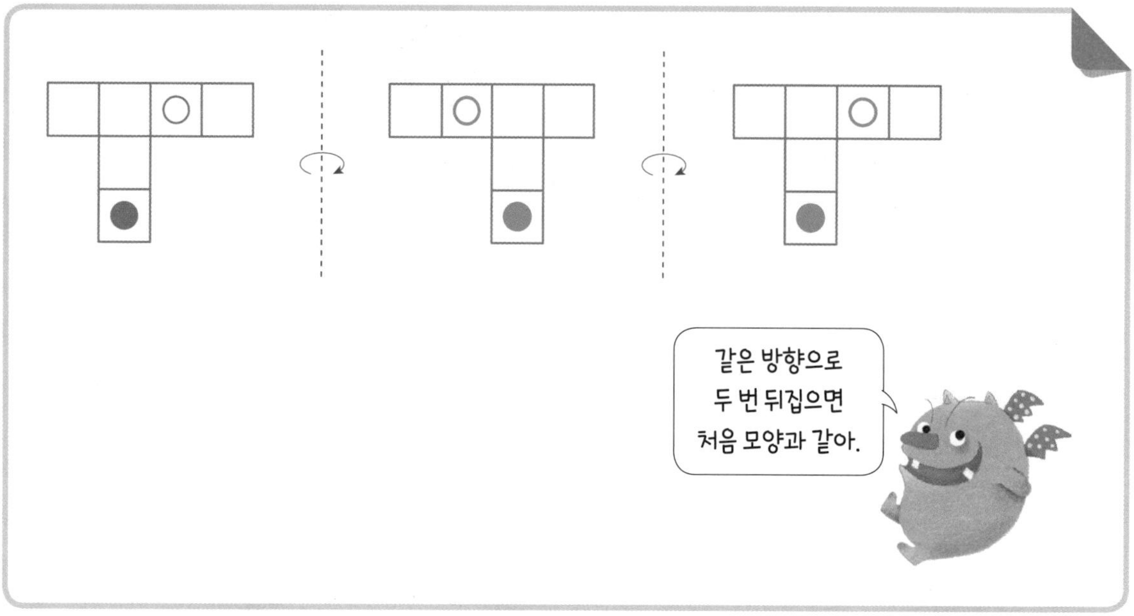
같은 방향으로
두 번 뒤집으면
처음 모양과 같아.

1

2

3

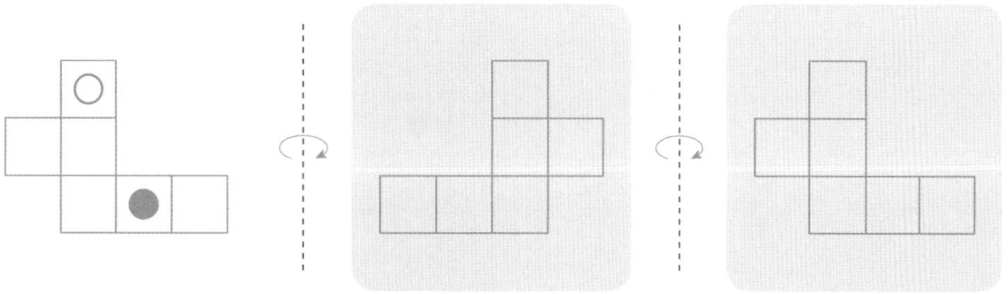

4

5

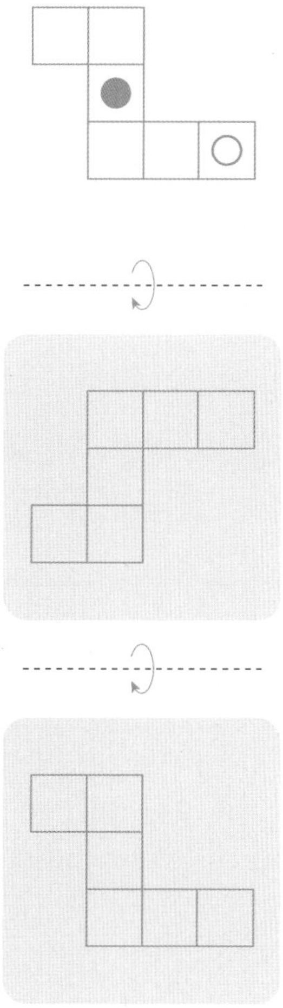

6

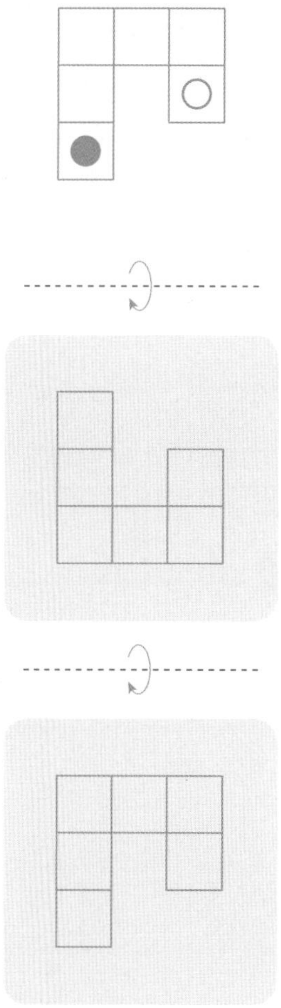

뒤집어서 같은 모양

뒤집어서 겹쳐지면 같은 모양입니다. 왼쪽과 같은 모양에 ○표 하시오.

뒤집은 모양에 맞게
점의 위치도
뒤집어졌는지 살펴봐.

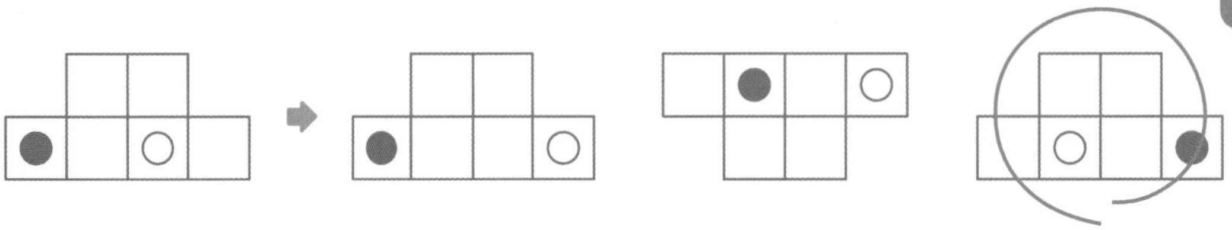

1

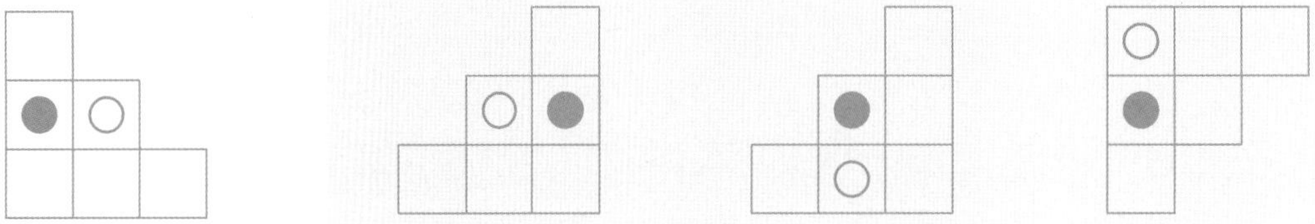

2

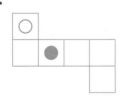

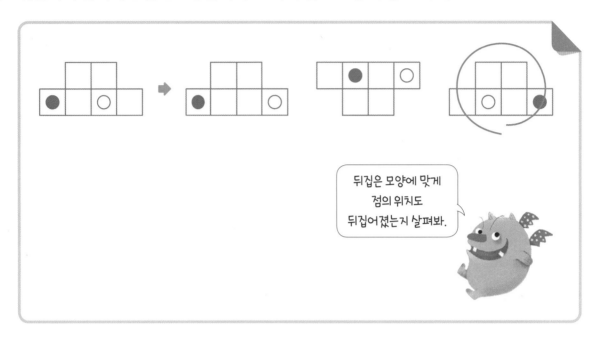

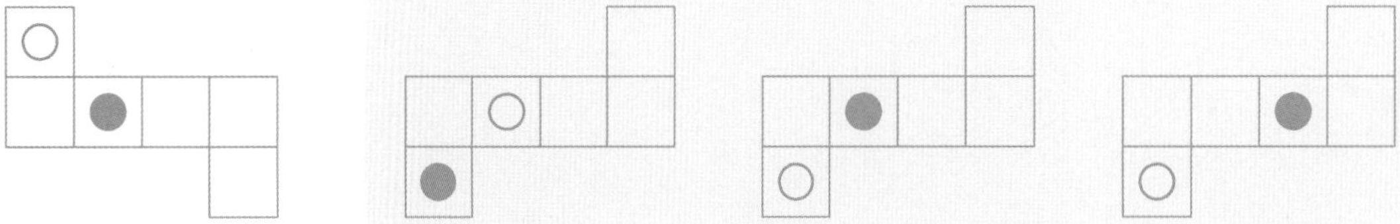

3

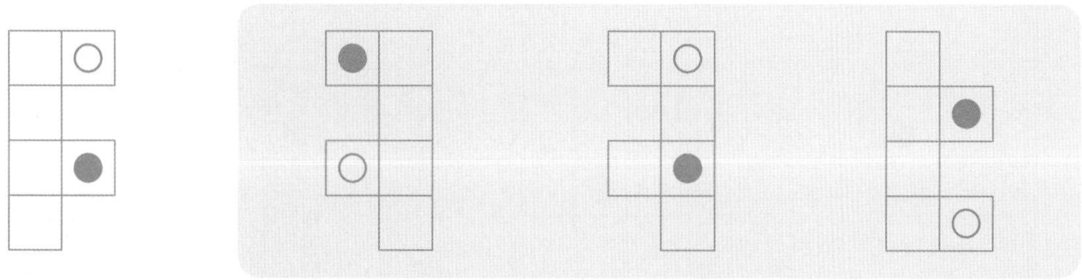

4

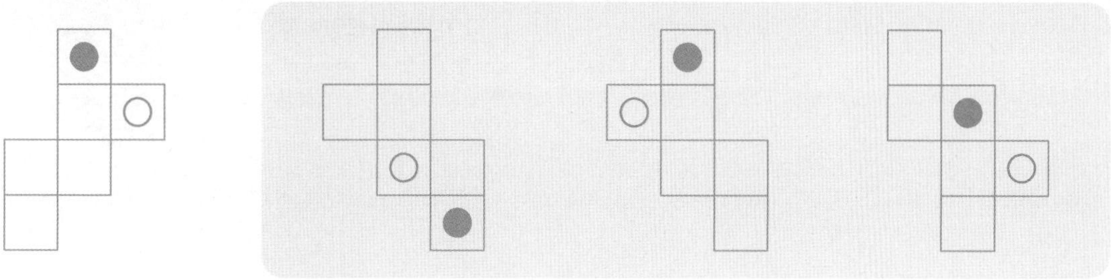

5

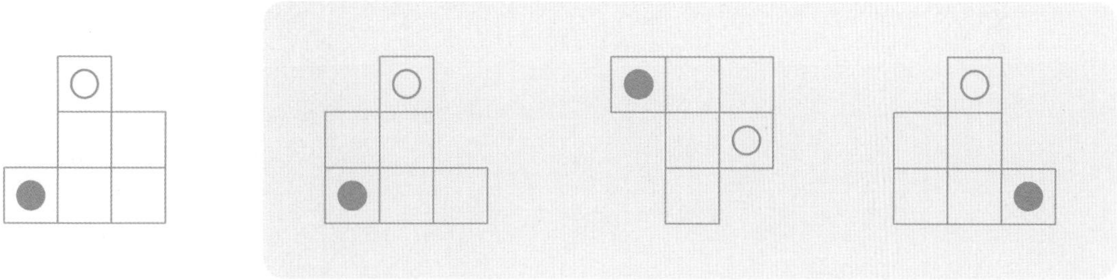

6

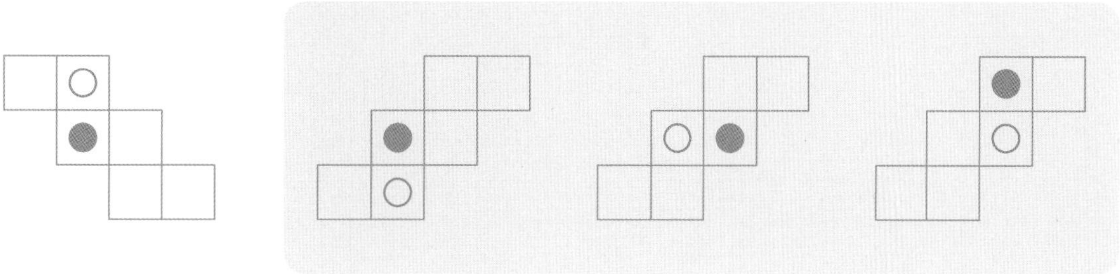

3일

돌리기

주어진 방향으로 돌립니다. 알맞은 위치에 ● 또는 ○를 그려 보시오.

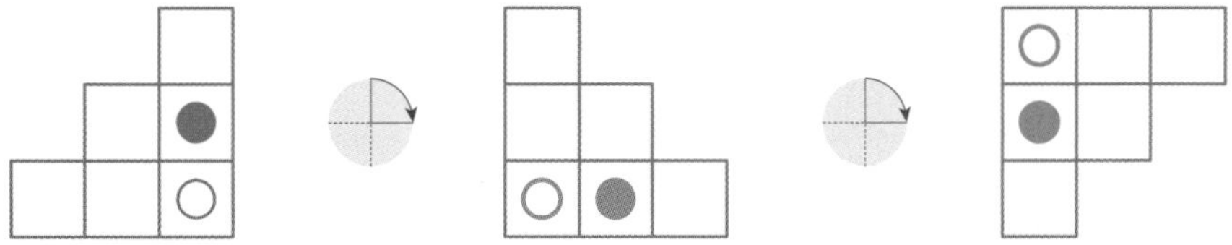

시계 방향으로 90° 돌린 모양과
시계 반대 방향으로
270° 돌린 모양이 같아.

1

2

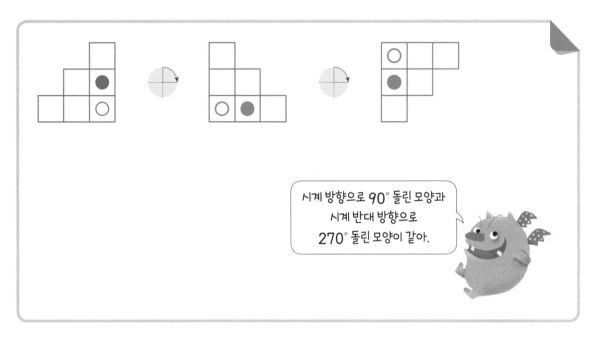

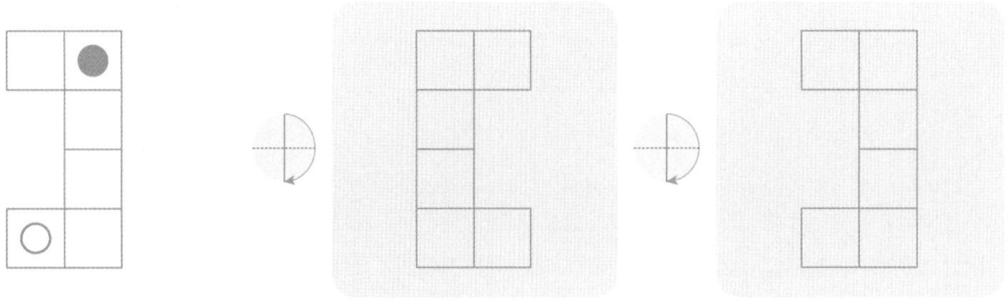

3

4

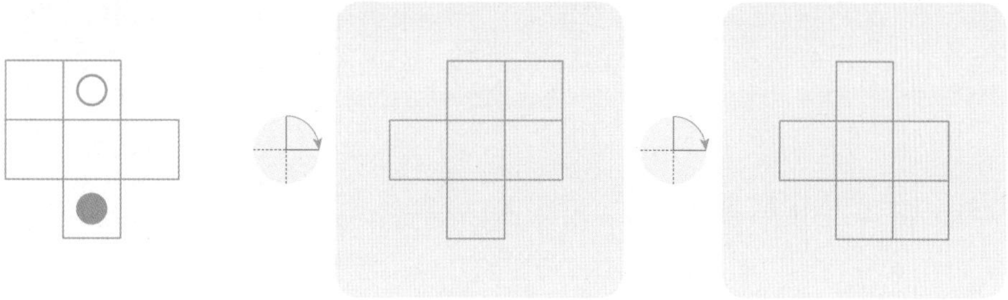

5

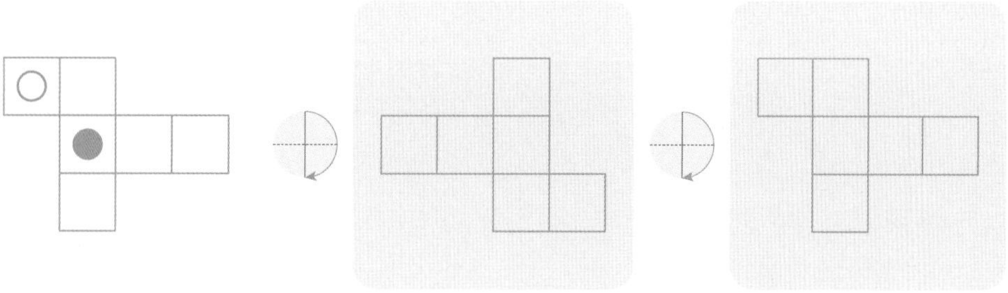

6

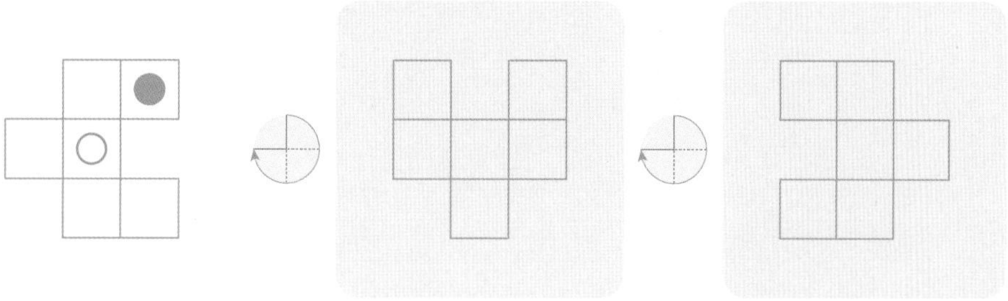

4일 돌려서 같은 모양

돌려서 겹쳐지면 같은 모양입니다. 왼쪽과 같은 모양에 ○표 하시오.

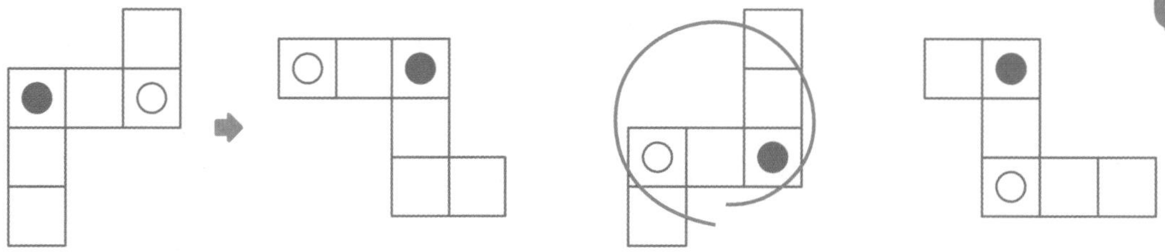

180° 돌린 모양

점과 점 사이의
위치 관계를 알아보는
것도 도움이 돼.

1

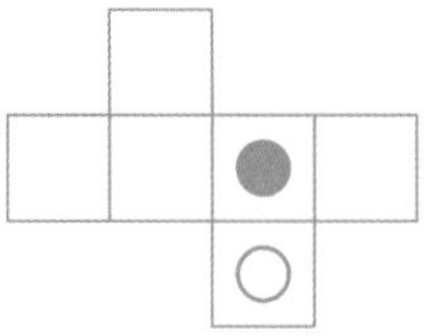

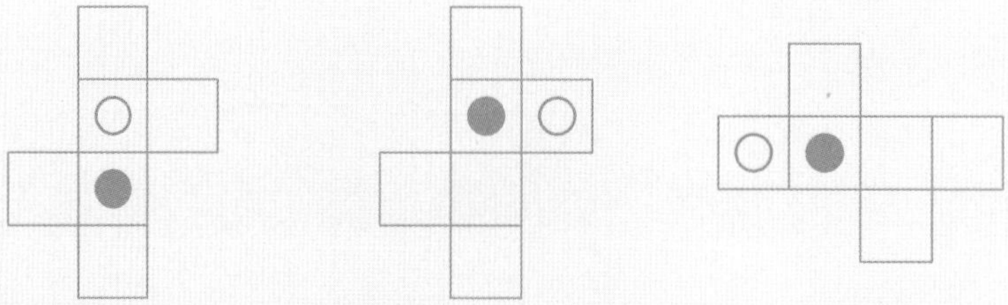

2

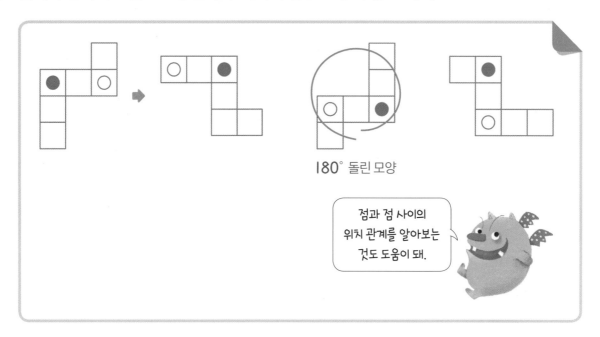

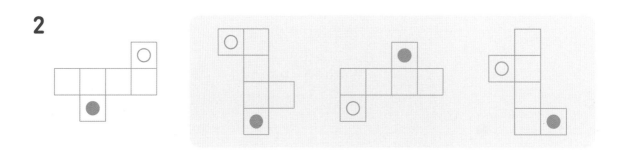

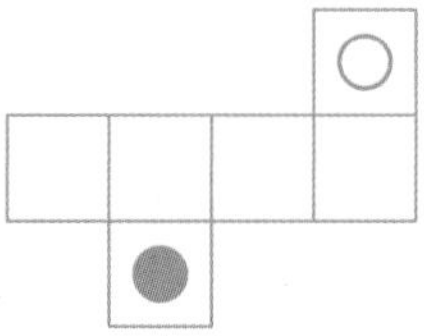

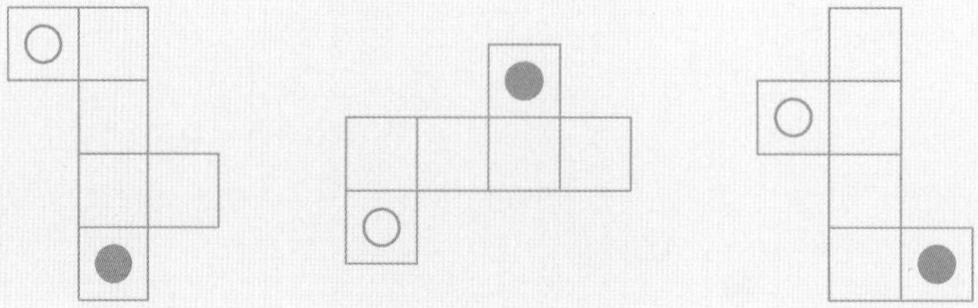

3

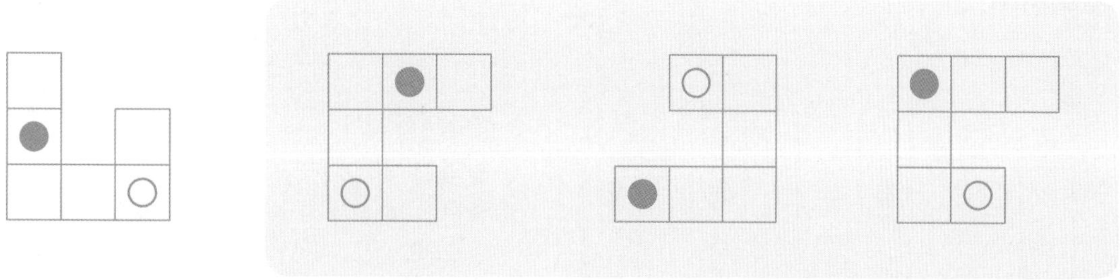

4

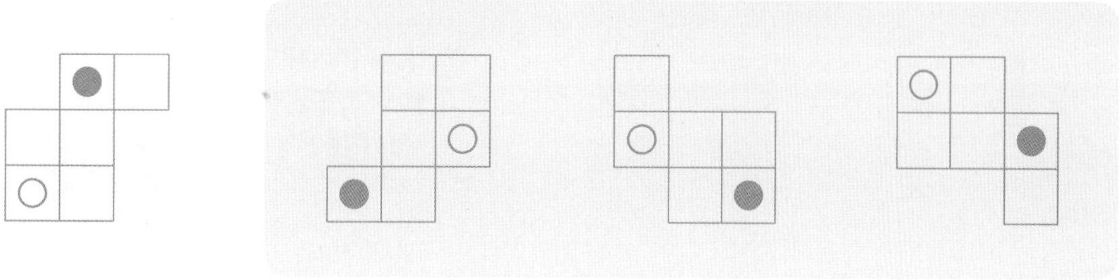

5

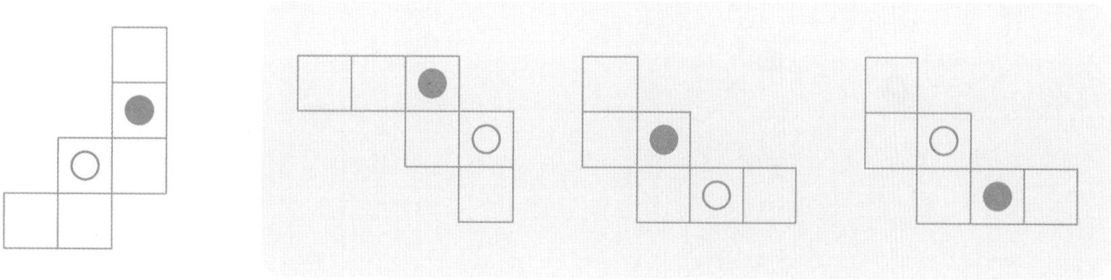

6

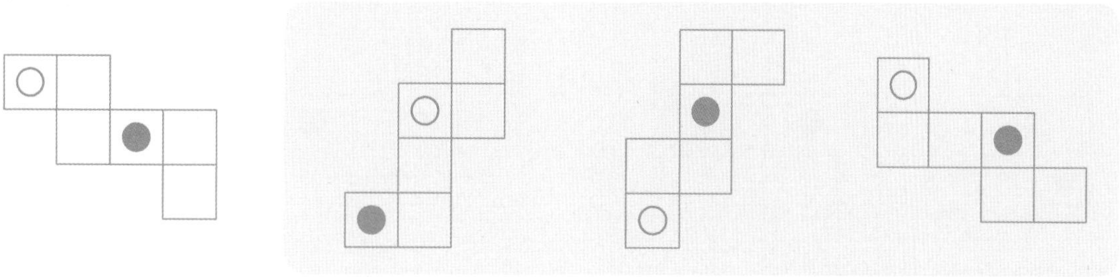

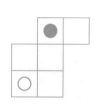

같은 모양 그리기

모양을 뒤집거나 돌렸습니다. 왼쪽과 같은 모양이 되도록 알맞은 위치에 ● 또는 ○를 그려 보시오.

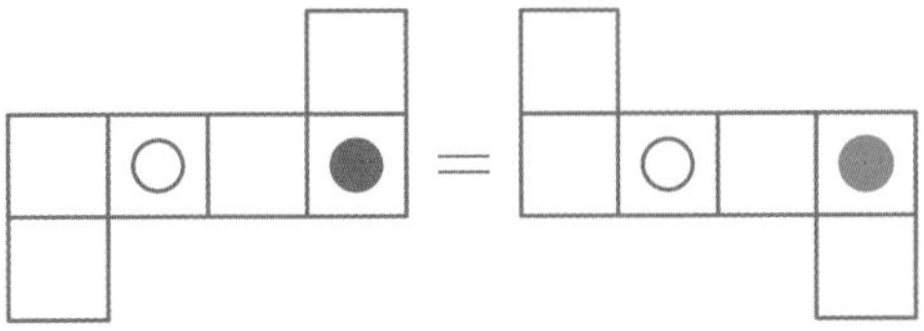

아래로 뒤집은 모양

▶ 점의 위치 예시
1. ●과 ○ 사이에는 옆으로 1칸이 있습니다.
2. ●은 □ 4개가 한 줄로 연결된 모양의 끝에 있습니다.

모양을 어떻게 이동했는지 알아보고, 모양 안의 점의 위치를 관찰해.

1

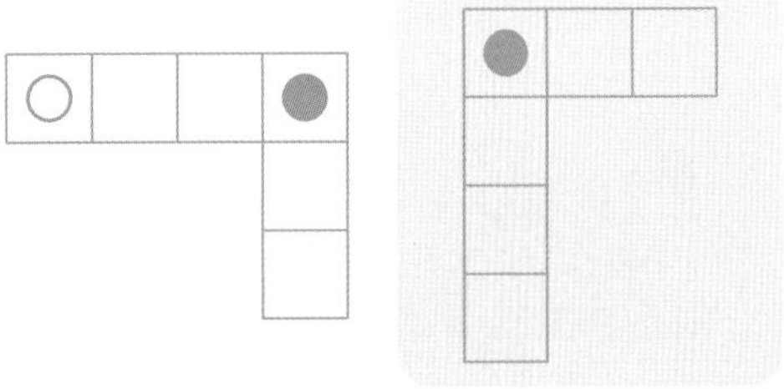

2

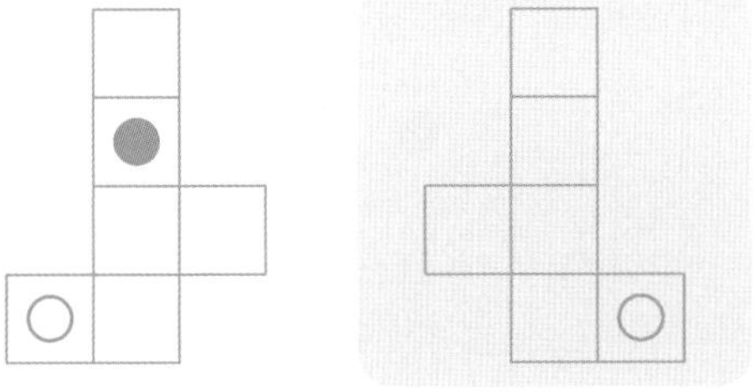

3

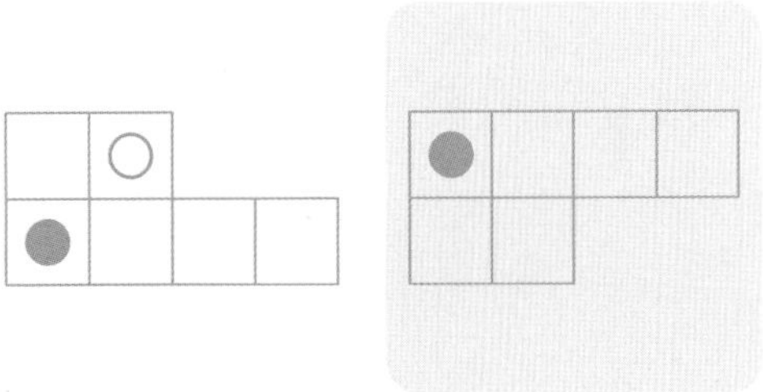

4

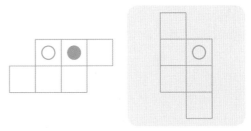

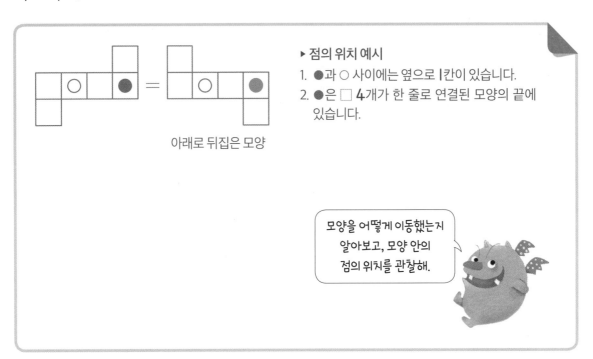

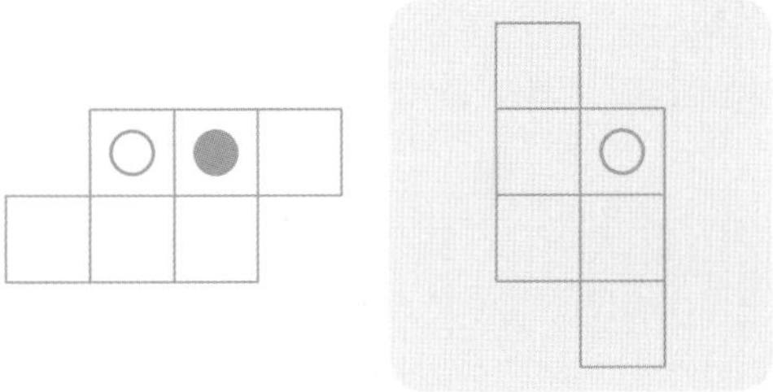

5

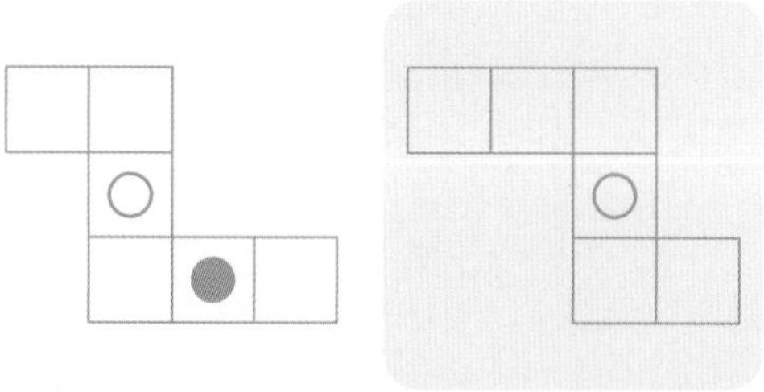

6

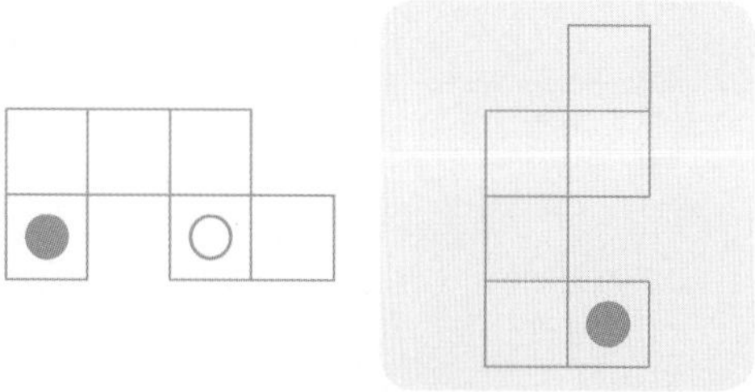

7

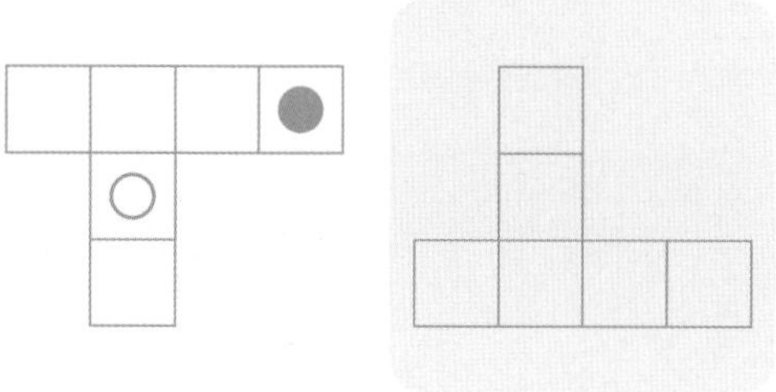

8

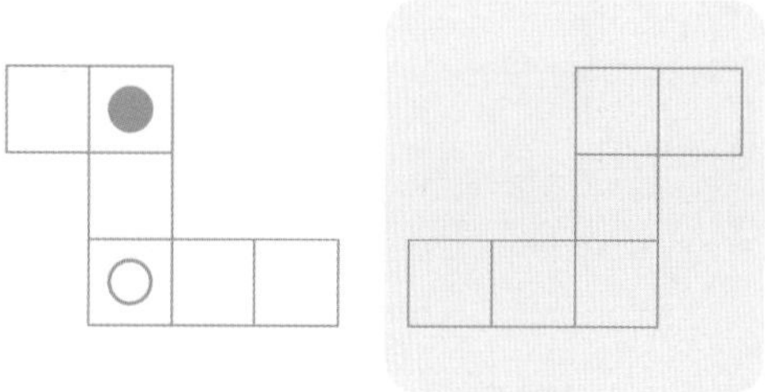

9

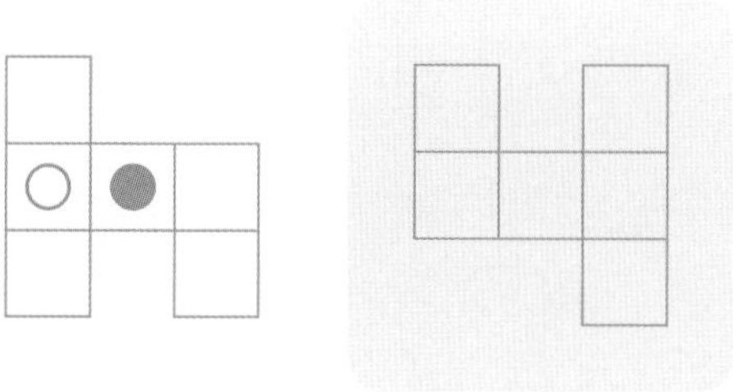

10

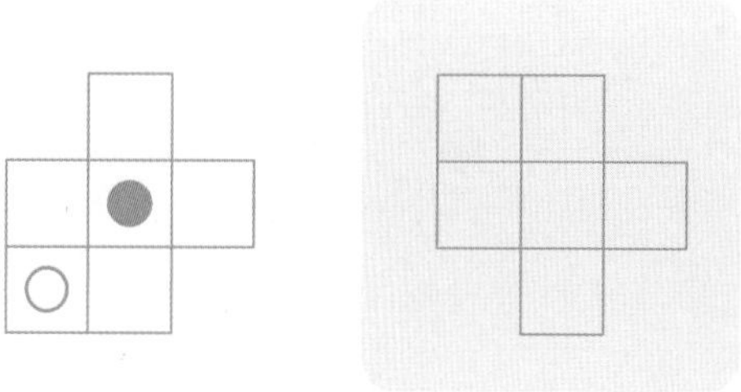

11

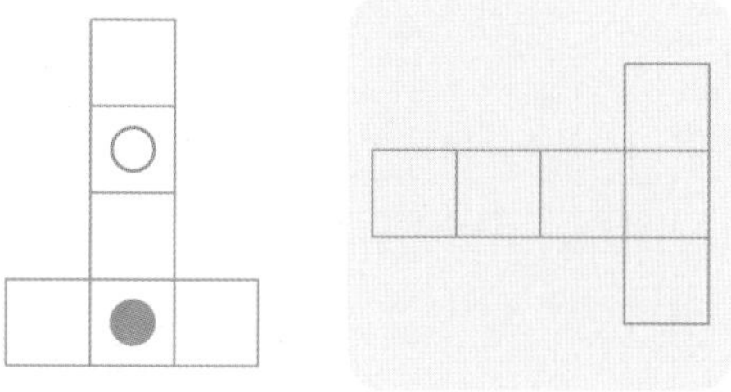

12

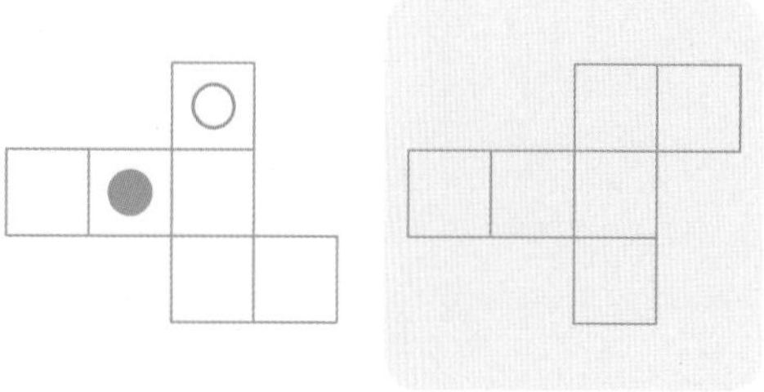

확인학습

오른쪽으로 뒤집습니다. 알맞은 위치에 ● 또는 ○를 그려 보시오.

1

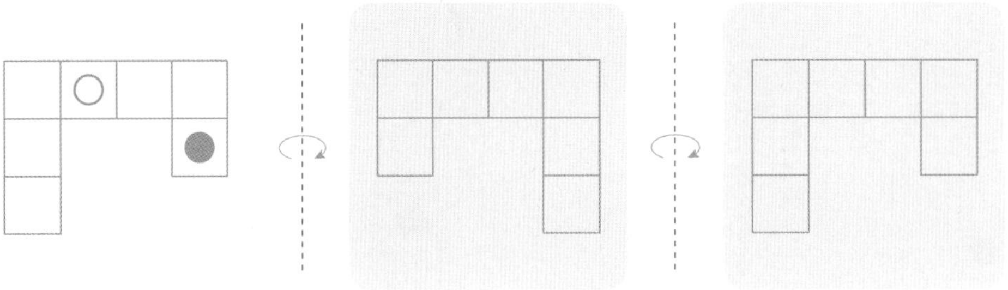

주어진 방향으로 돌립니다. 알맞은 위치에 ● 또는 ○를 그려 보시오.

2

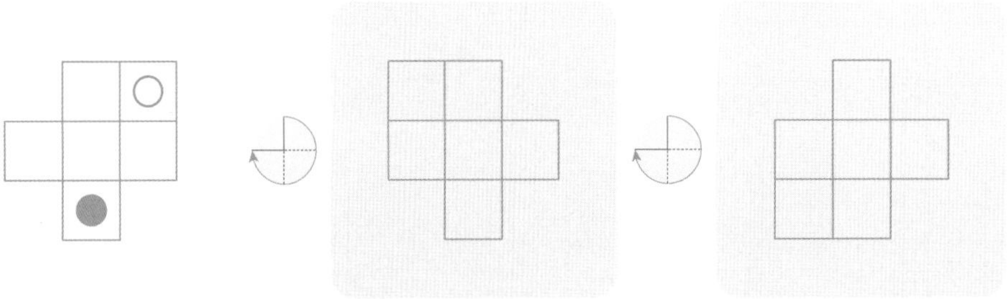

3

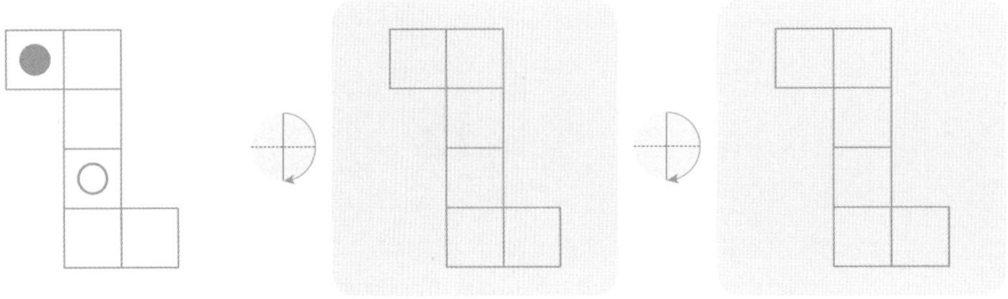

돌려서 겹쳐지면 같은 모양입니다. 왼쪽과 같은 모양에 ◯표 하시오.

4

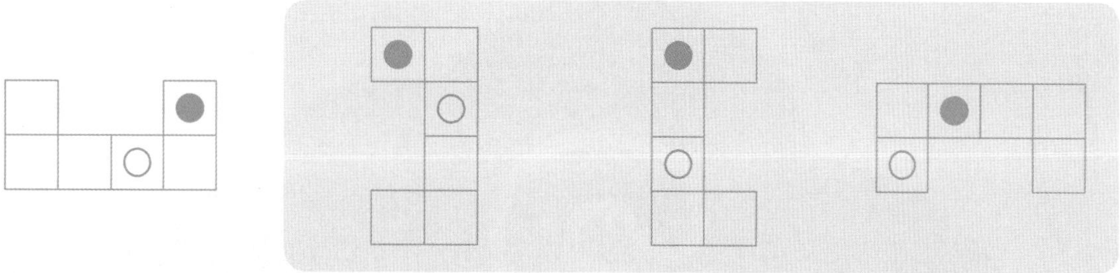

5

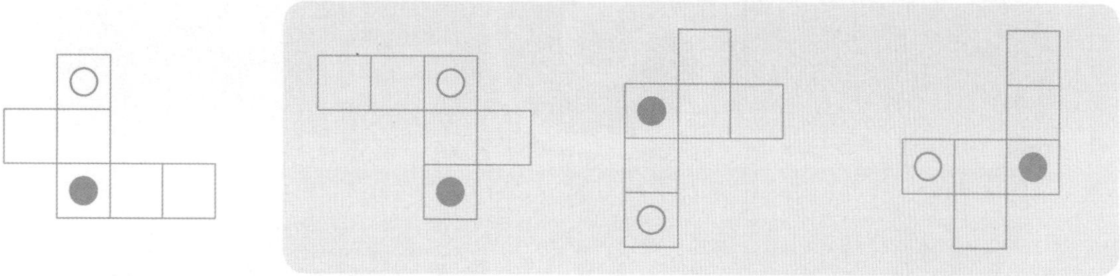

모양을 뒤집거나 돌렸습니다. 왼쪽과 같은 모양이 되도록 알맞은 위치에 ● 또는 ○를 그려 보시오.

6

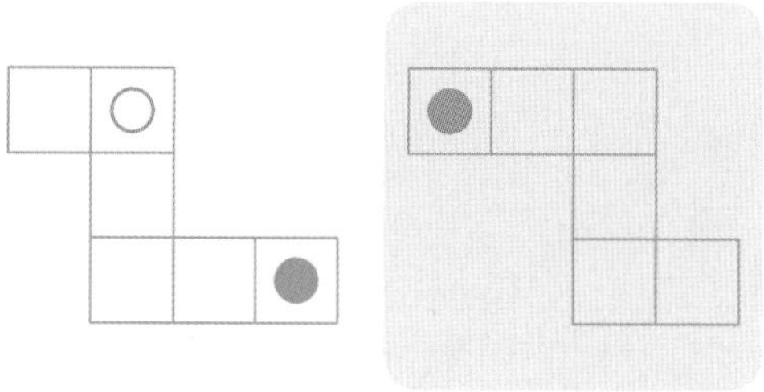

7

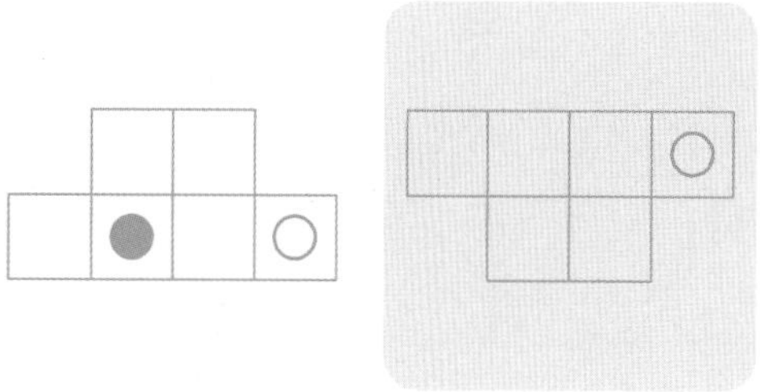

8

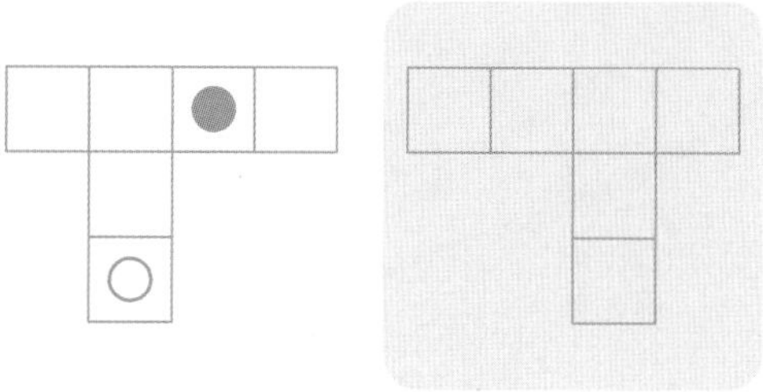

9

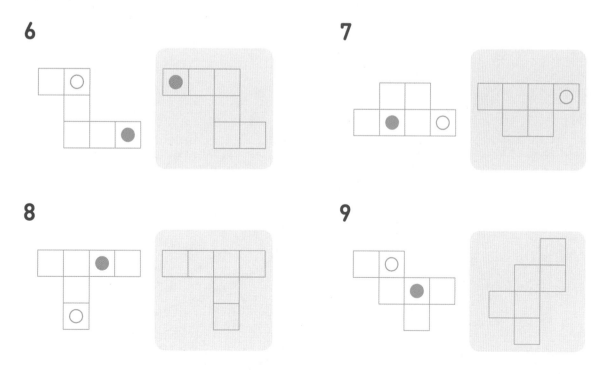

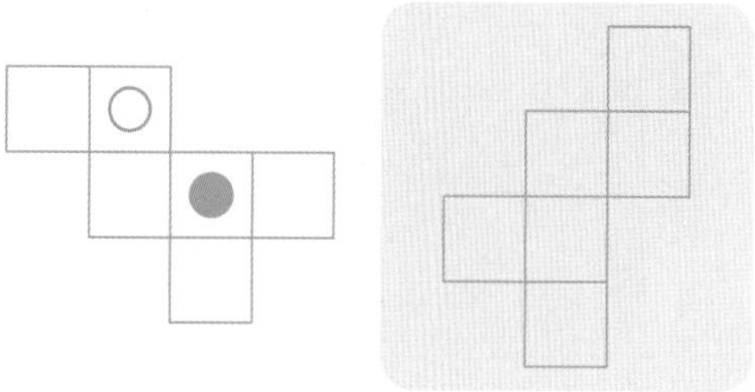

3주차

주사위

정육면체

✏️ 색칠한 면과 평행한 면에 색칠하시오.

정육면체: 정사각형 면 6개로 둘러싸인 도형

꼭짓점

모서리 → ← 면

면: **6**개
꼭짓점: **8**개
모서리: **12**개

평행한 면은
서로 만나지 않아.

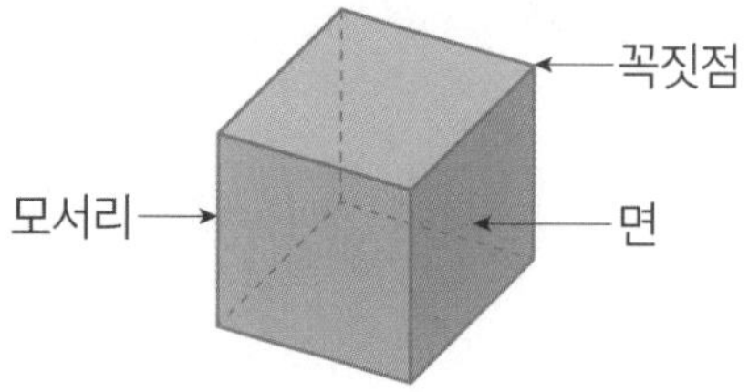

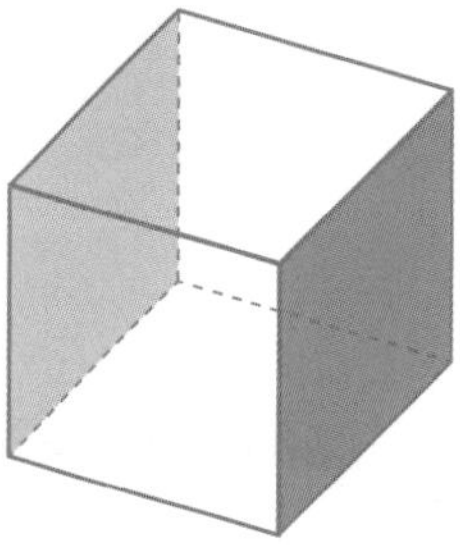

1

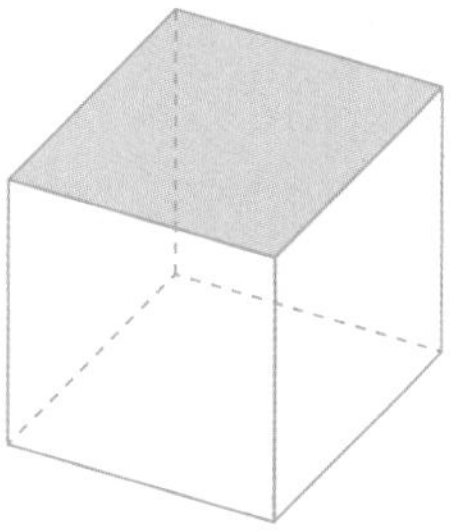

2

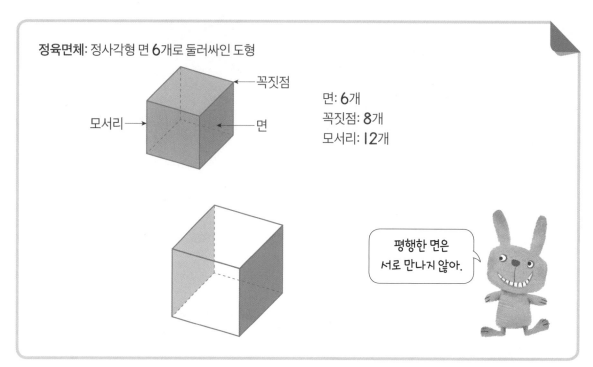

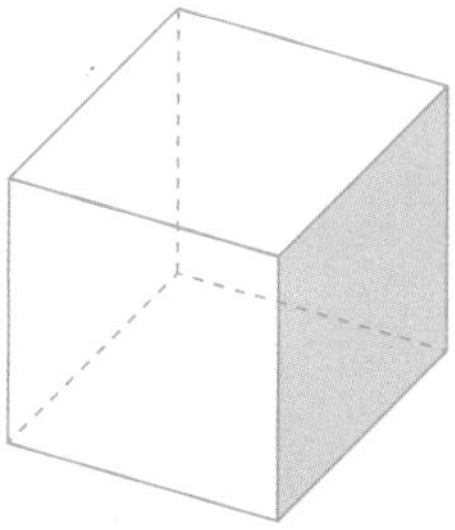

3

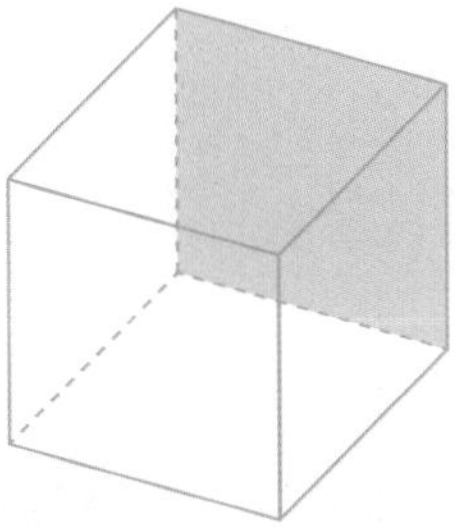

4

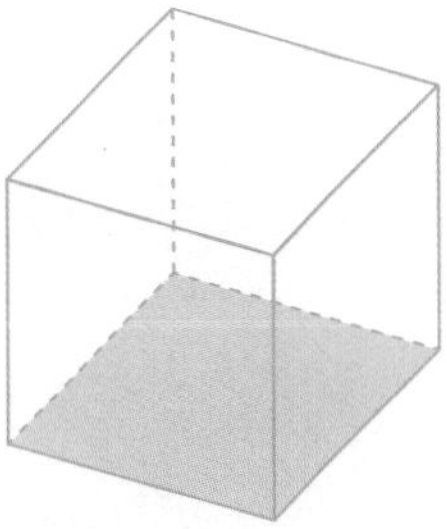

5

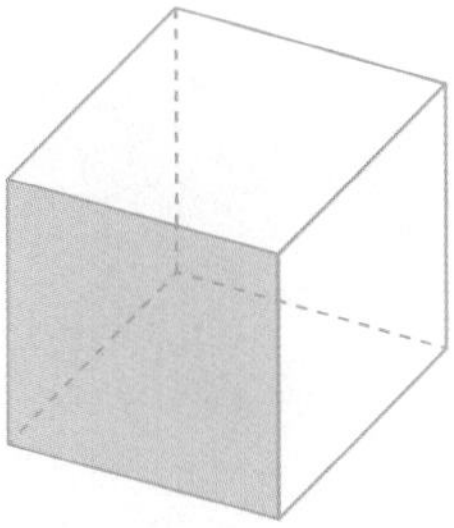

6

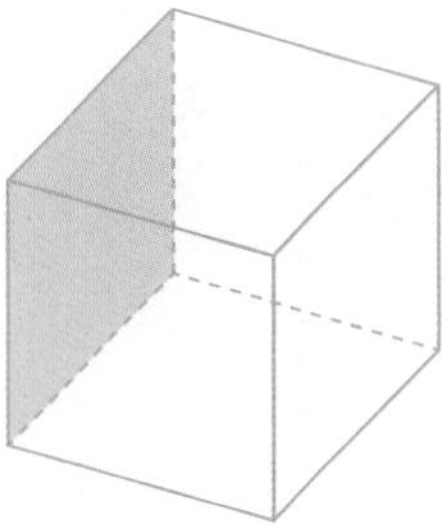

7

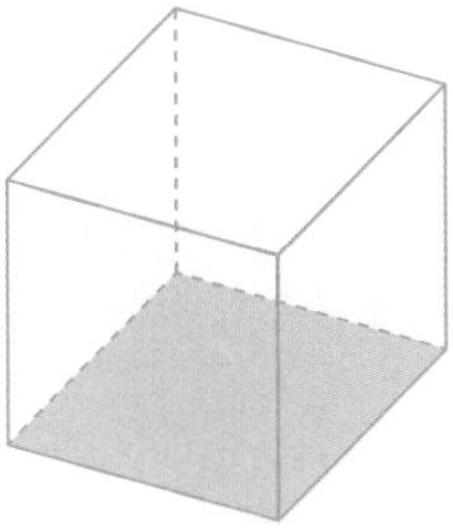

8

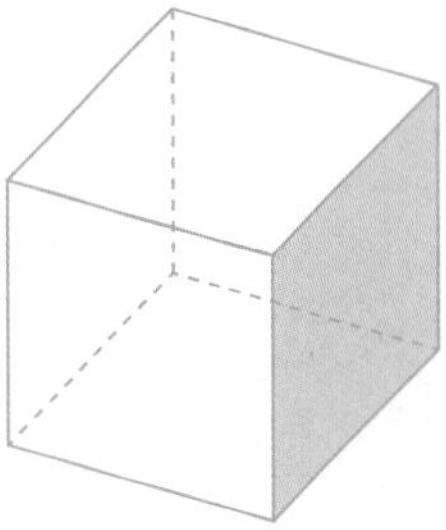

주사위

주사위의 평행한 두 면의 눈의 수의 합은 **7**입니다. 보이지 않는 세 면의 눈을 그려 보시오.

눈이 **1**개부터 **6**개까지 그려진 주사위는 마주 보는 두 면의 눈의 합이 **7**이야.

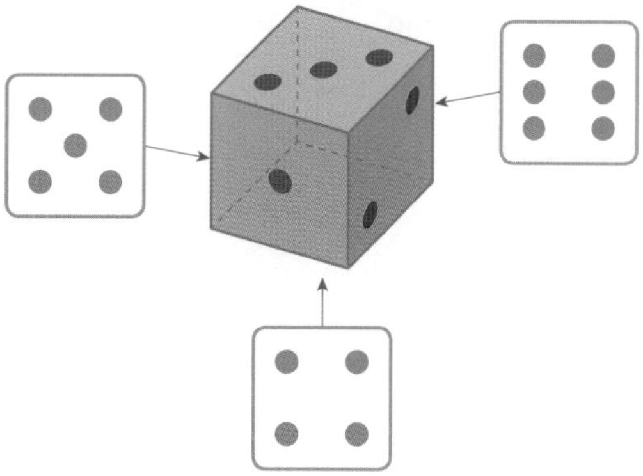

1

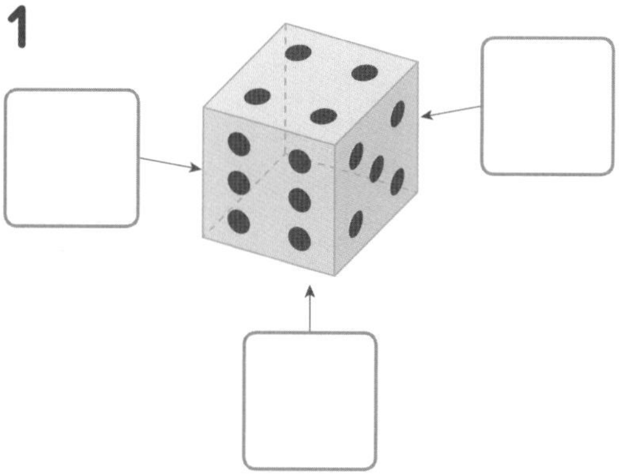

2

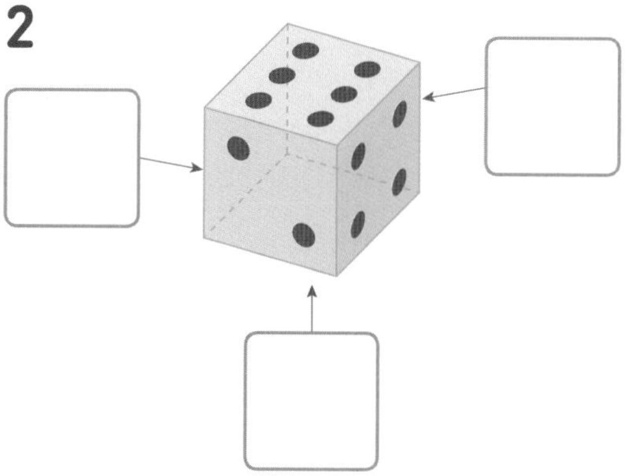

3

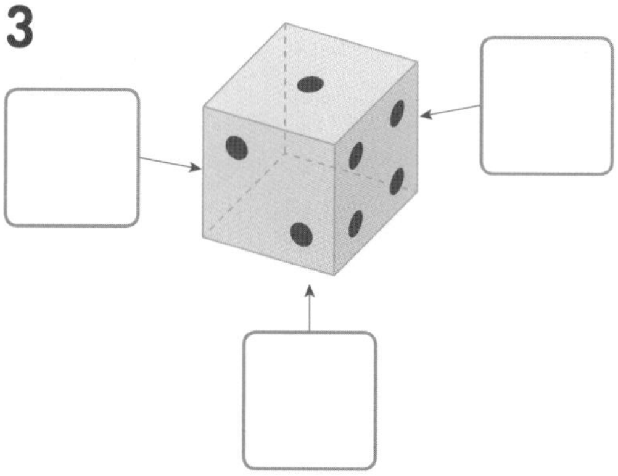

4

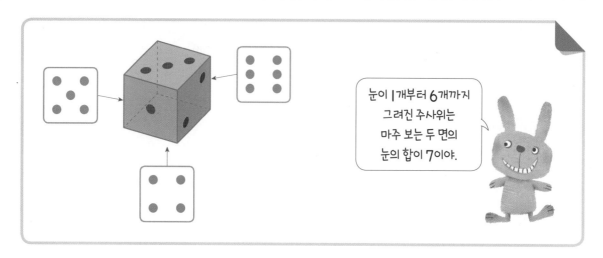

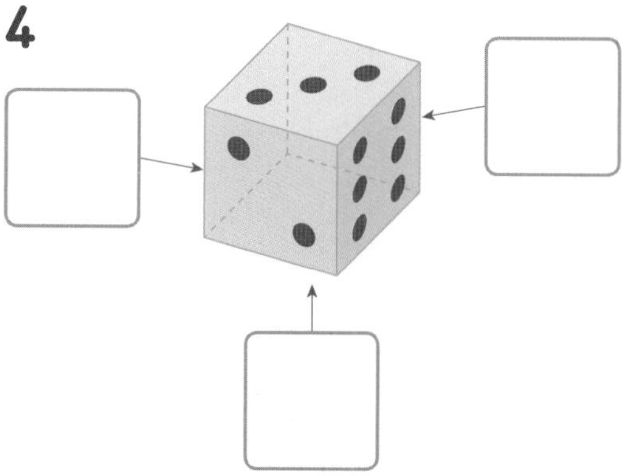

5

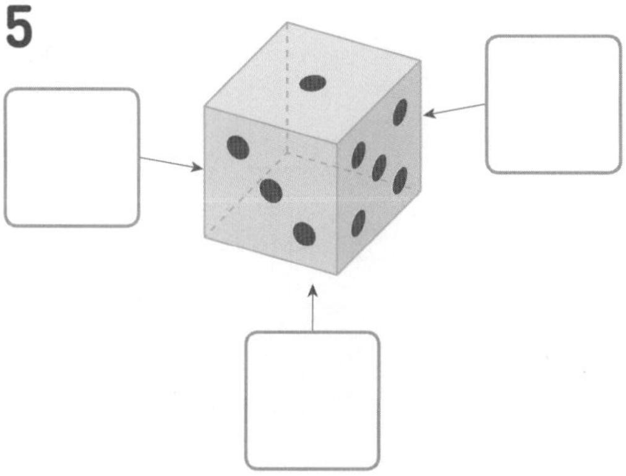

6

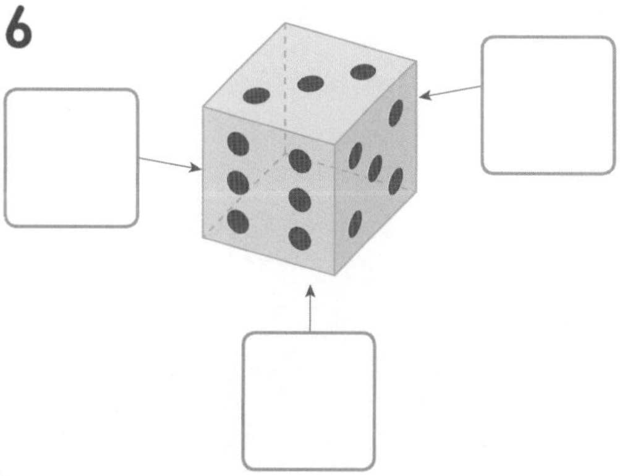

7

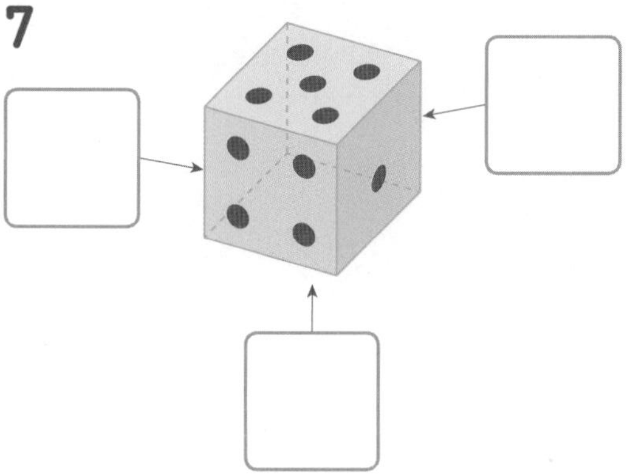

8

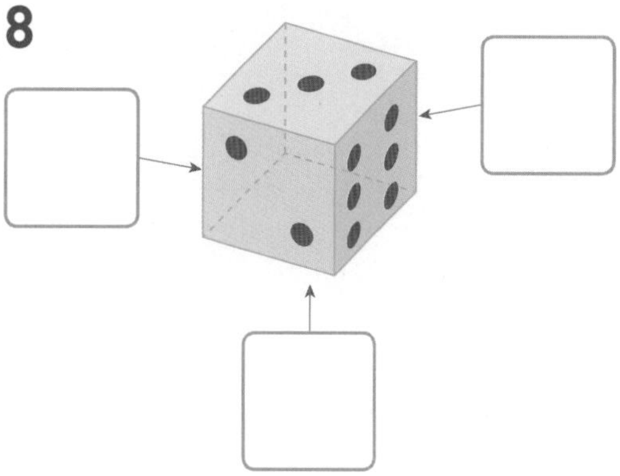

9

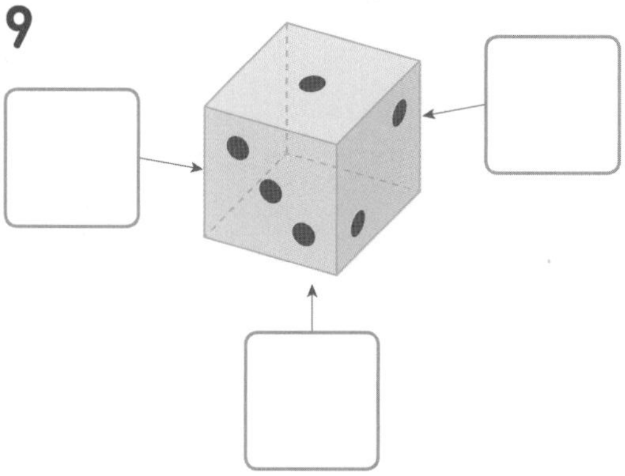

10

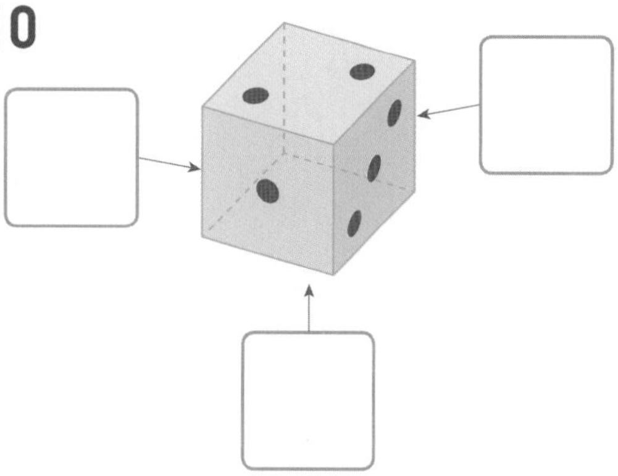

3일

정육면체의 전개도

✏️ 전개도를 접었을 때 평행한 면끼리 같은 모양으로 표시해 보시오.

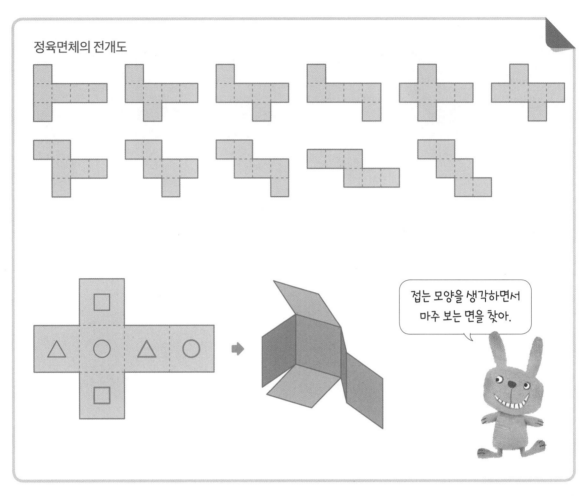

1
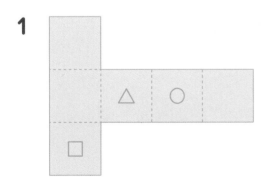

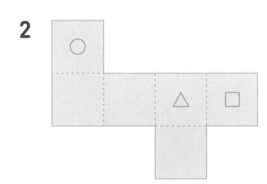

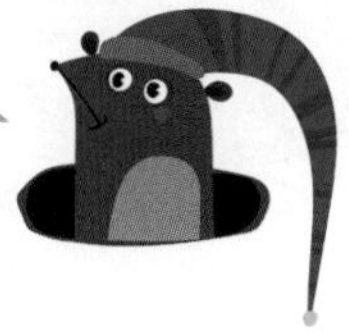

3

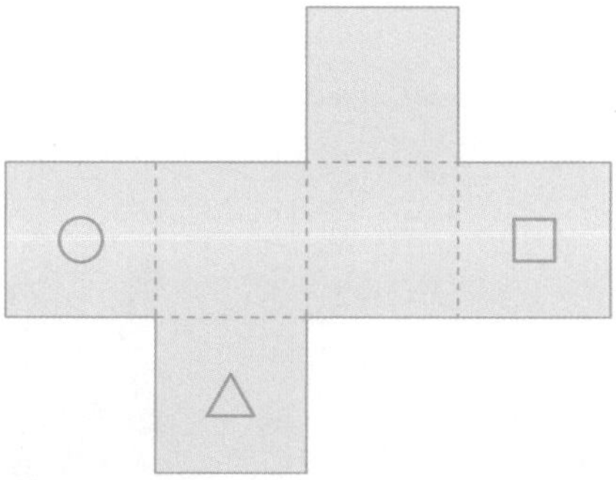

4

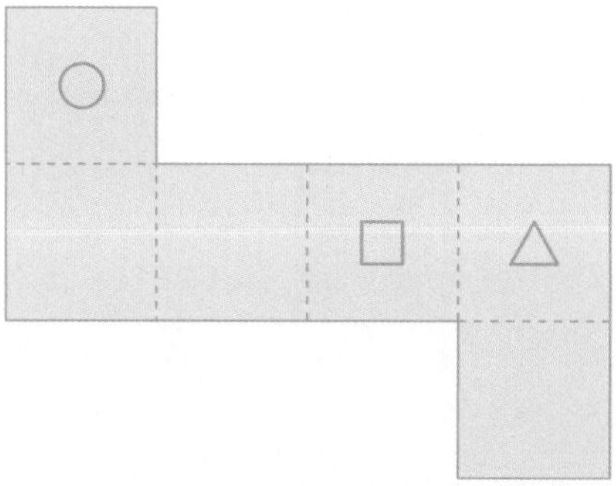

5

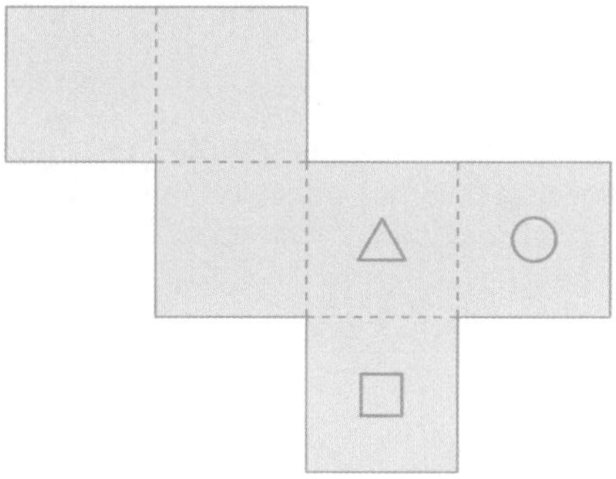

6

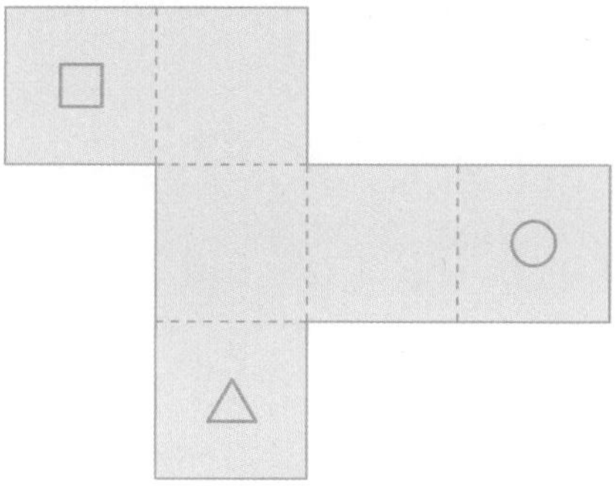

7

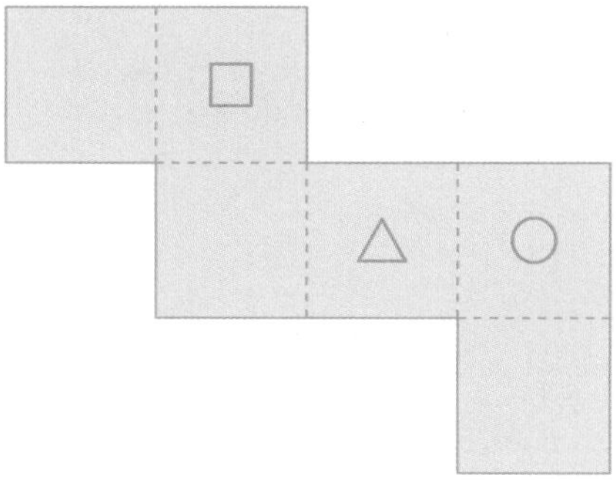

8

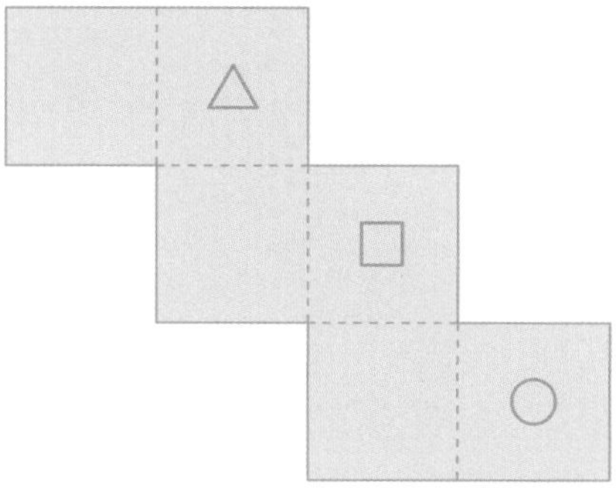

주사위의 전개도(1)

✏️ 다음 전개도로 주사위를 만듭니다. 주사위의 평행한 두 면의 눈의 수의 합이 7이 되도록 눈을 알맞게 그려 보시오.

전개도에서 마주 보는 두 면의 눈의 합이 7이 되도록 눈을 그려.

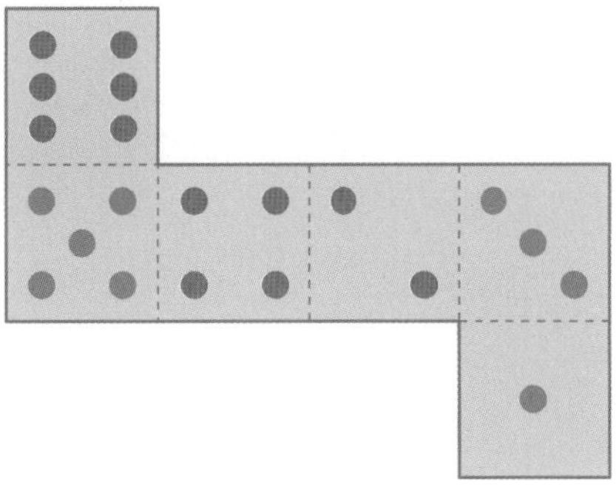

1

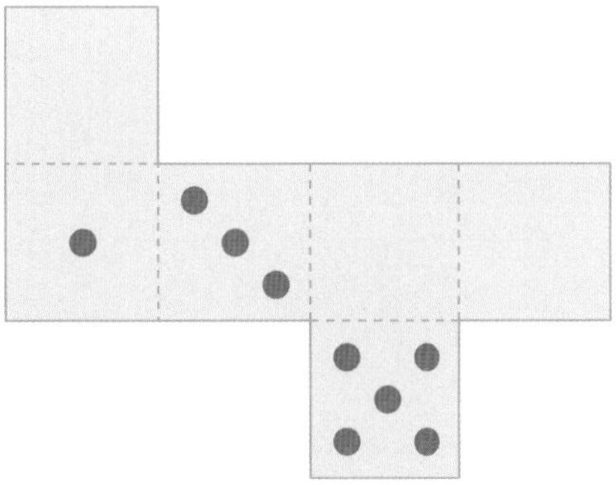

2

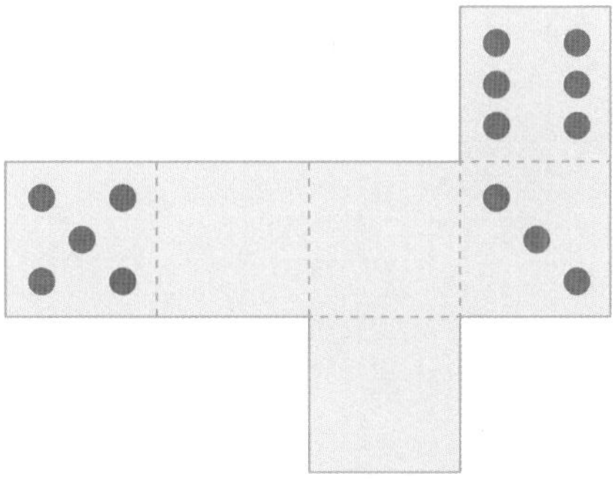

3

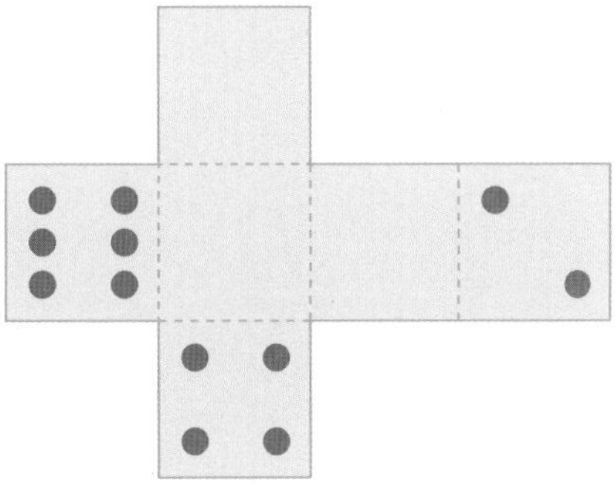

4

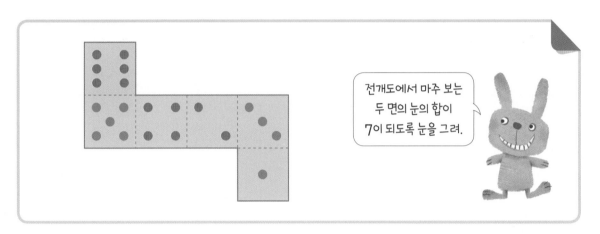

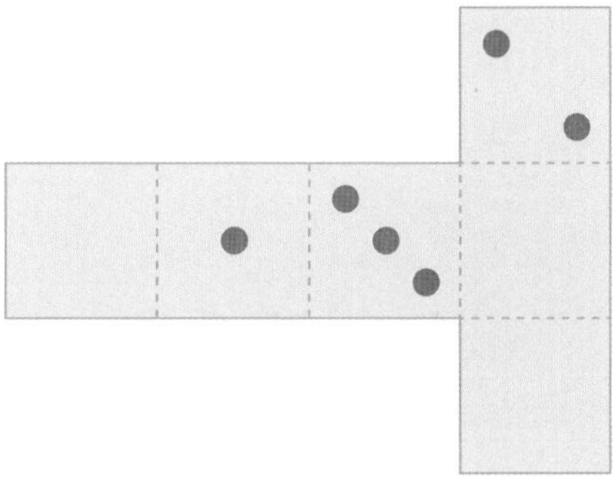

5

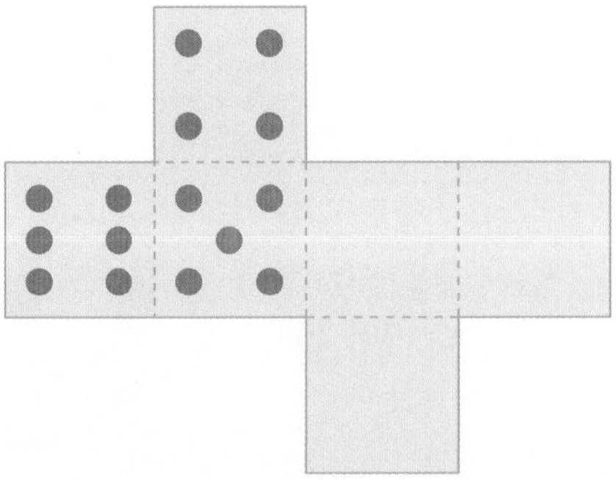

6

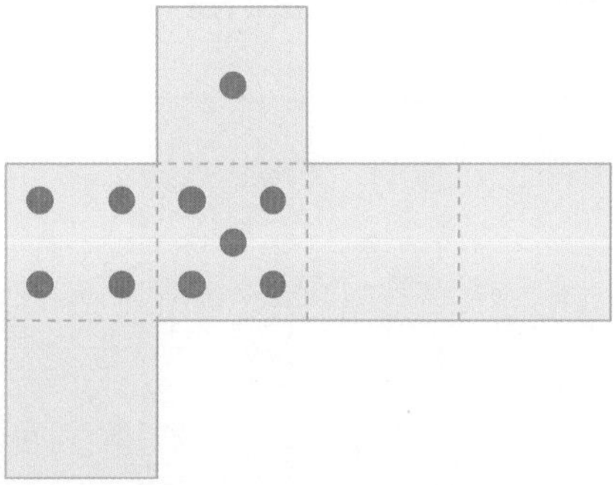

7

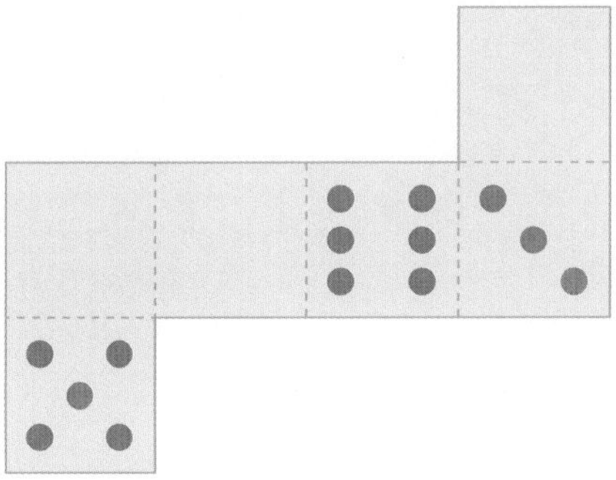

8

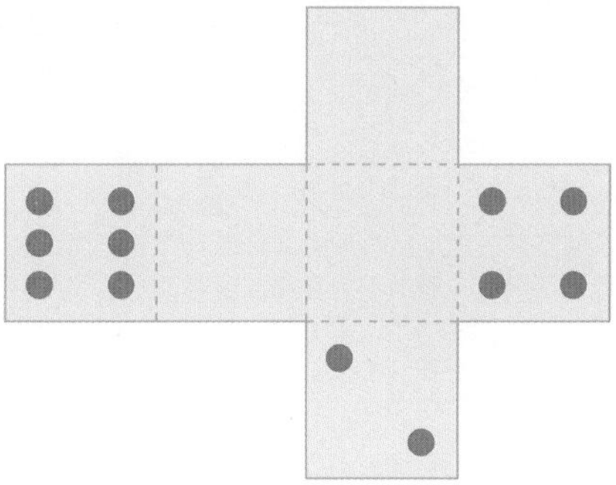

9

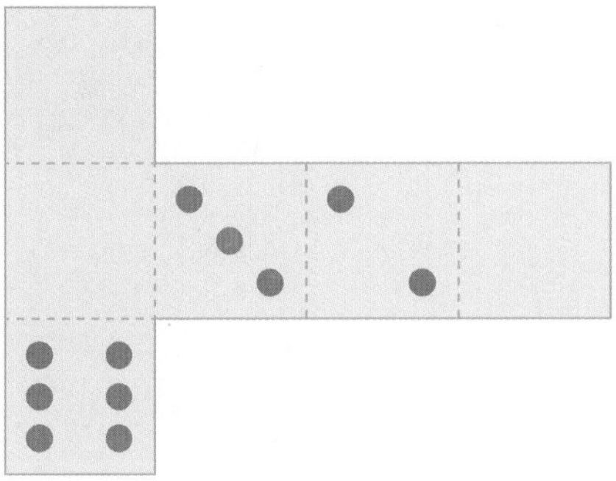

10

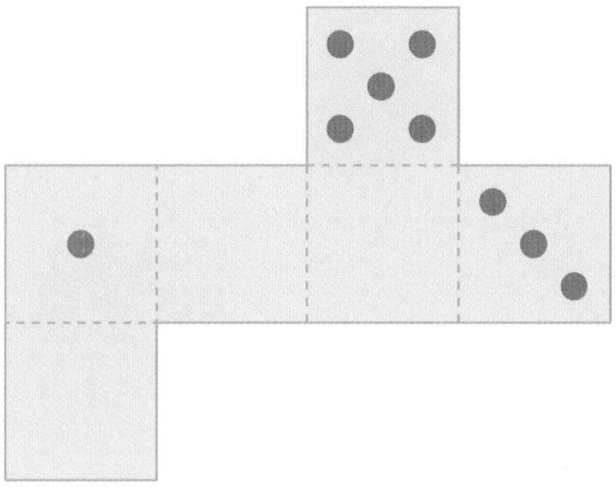

5일 주사위의 전개도(2)

다음 전개도로 주사위를 만듭니다. 주사위의 평행한 두 면의 눈의 수의 합이 7이 되도록 눈을 알맞게 그려 보시오.

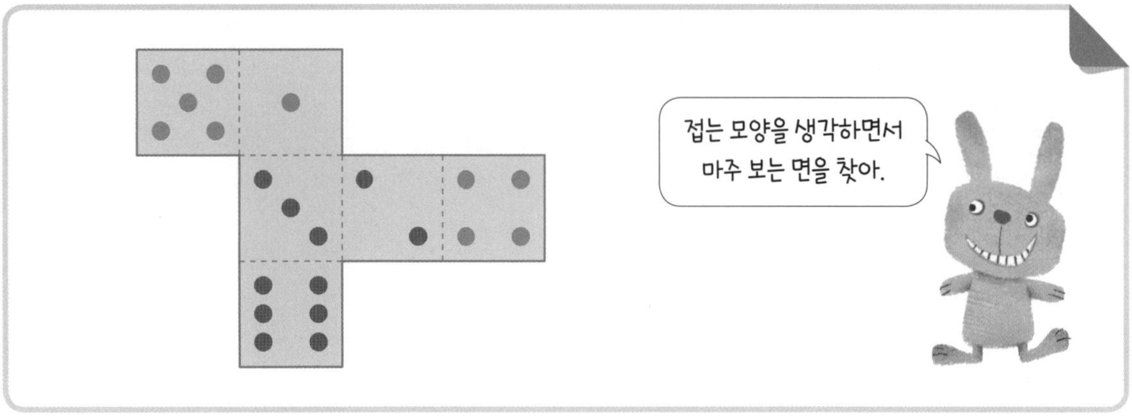

접는 모양을 생각하면서
마주 보는 면을 찾아.

1

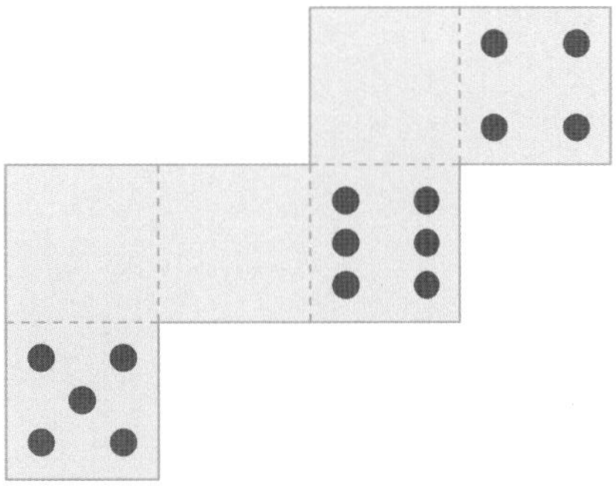

2

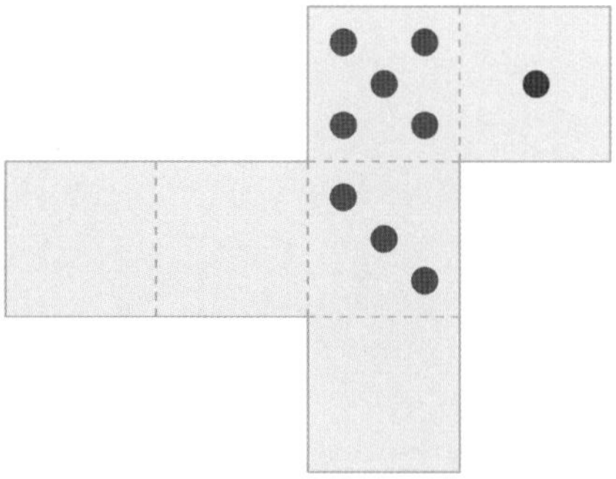

3

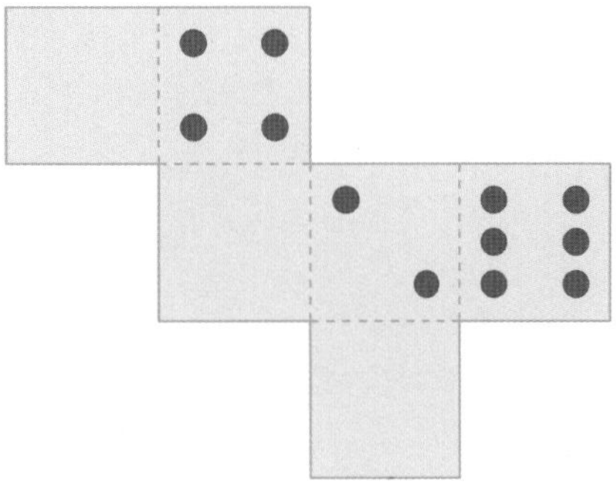

4

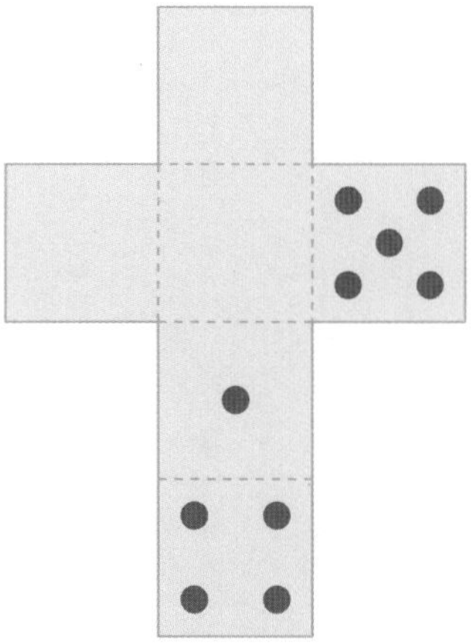

5

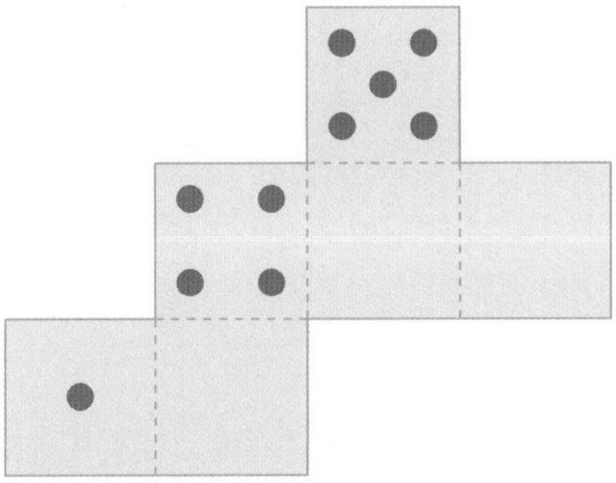

6

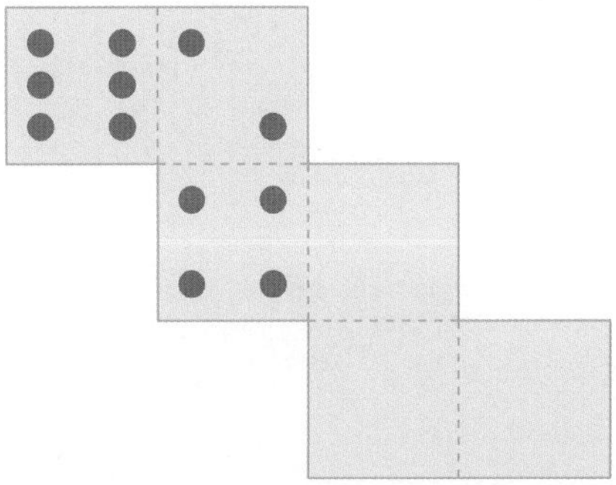

7

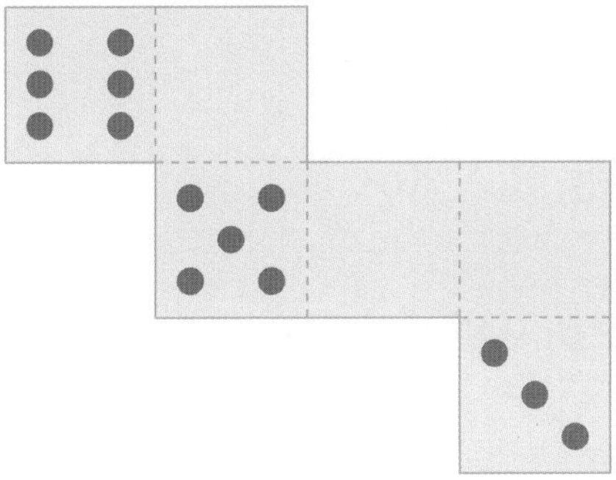

8

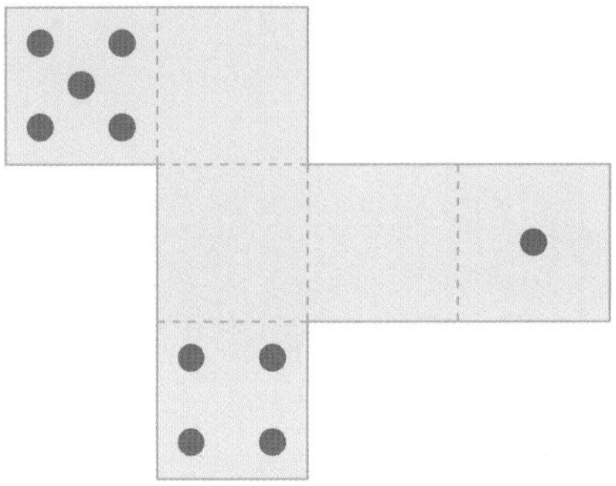

9

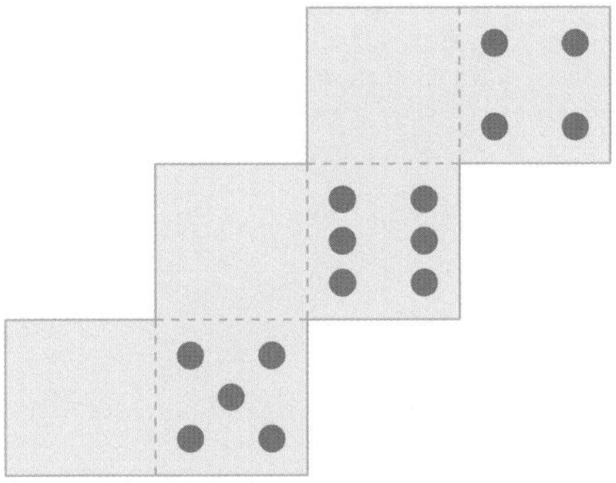

10

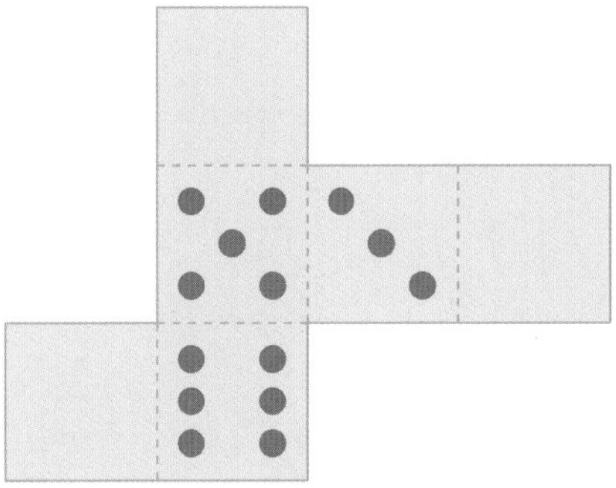

색칠한 면과 평행한 면에 색칠하시오.

1

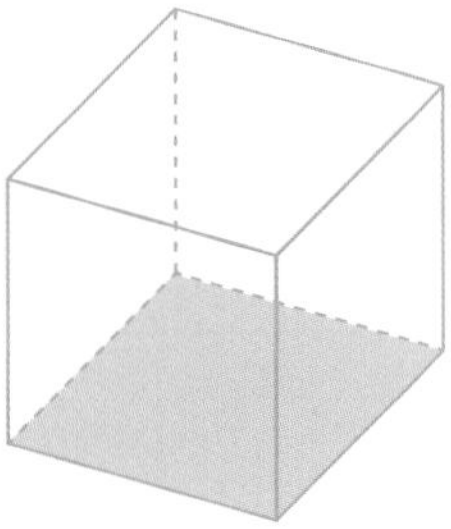

2

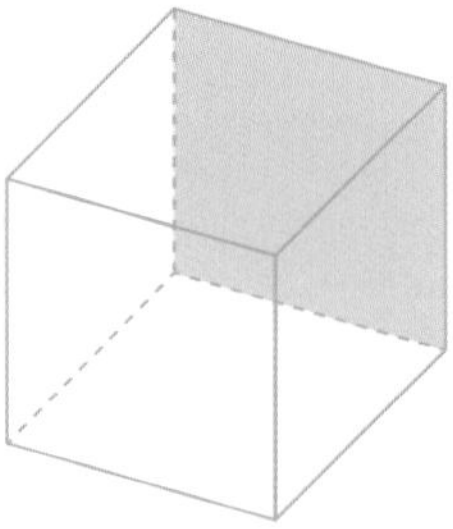

주사위의 평행한 두 면의 눈의 수의 합은 7입니다. 보이지 않는 세 면의 눈을 그려 보시오.

3

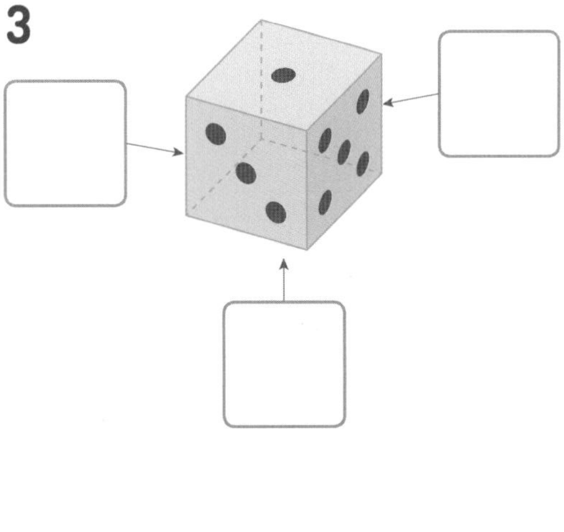

4

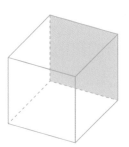

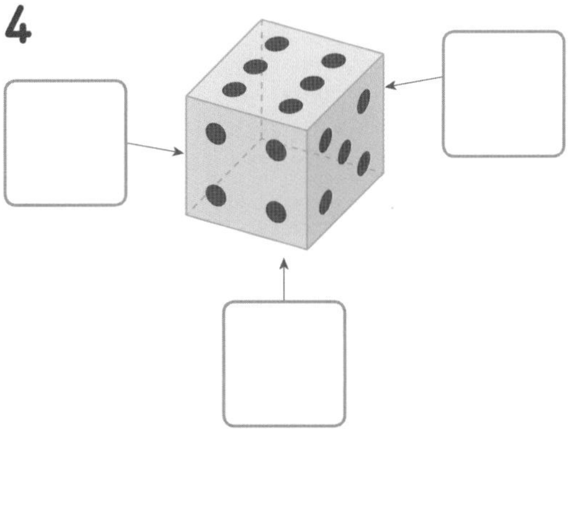

전개도를 접었을 때 평행한 면끼리 같은 모양으로 표시해 보시오.

5

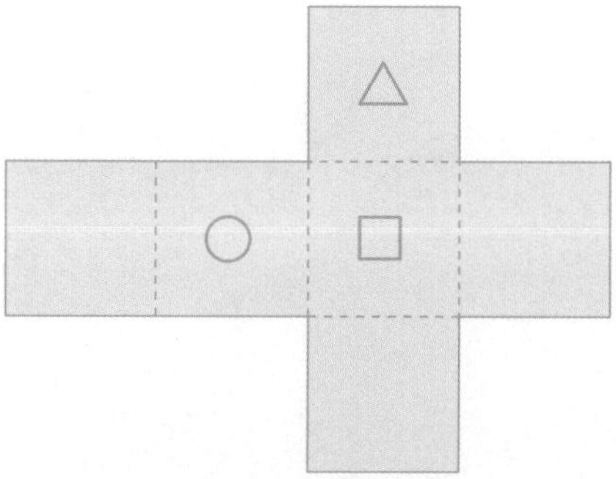

6

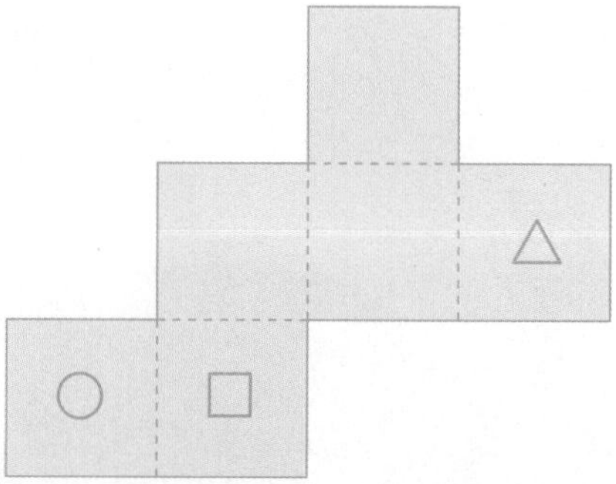

다음 전개도로 주사위를 만듭니다. 주사위의 평행한 두 면의 눈의 수의 합이 7이 되도록 눈을 알맞게 그려 보시오.

7

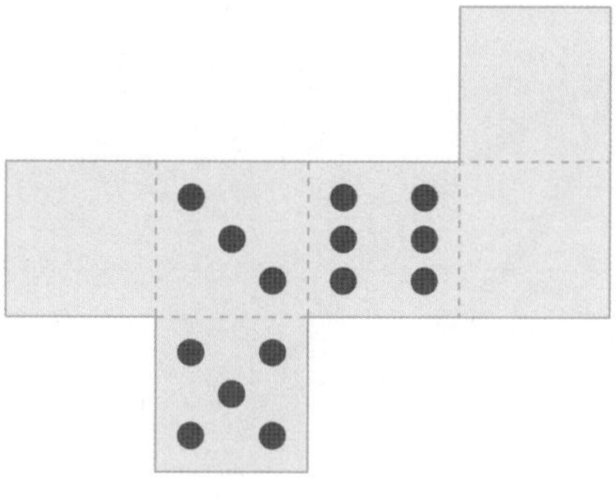

8

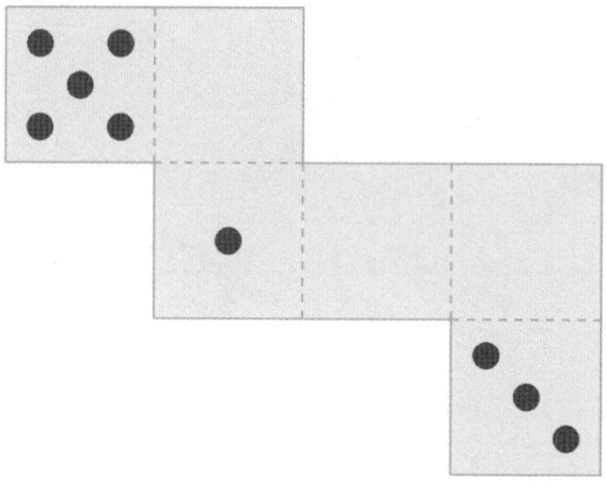

4 주차

뚜껑이 없는 상자

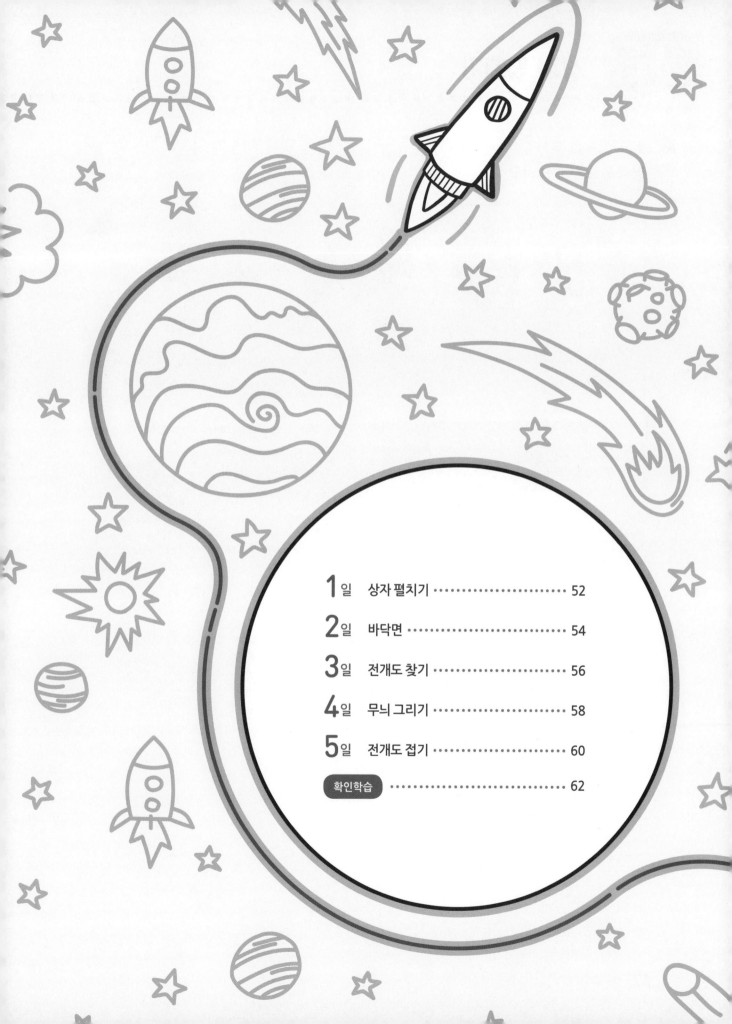

1일 상자 펼치기

뚜껑이 없는 정육면체 상자의 전개도입니다. 전개도를 접었을 때 평행한 면끼리 같은 모양으로 표시해 보시오.

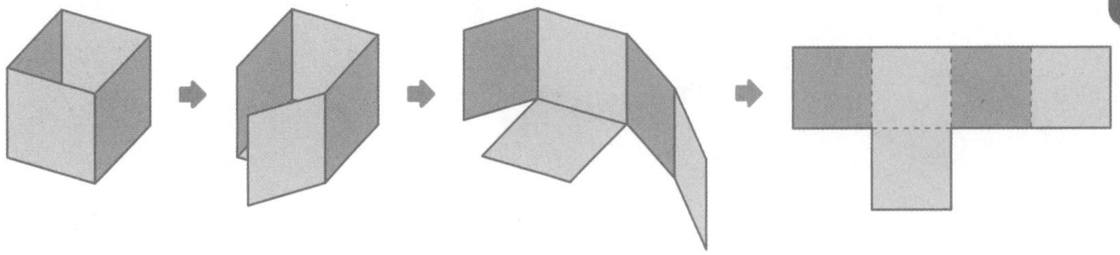

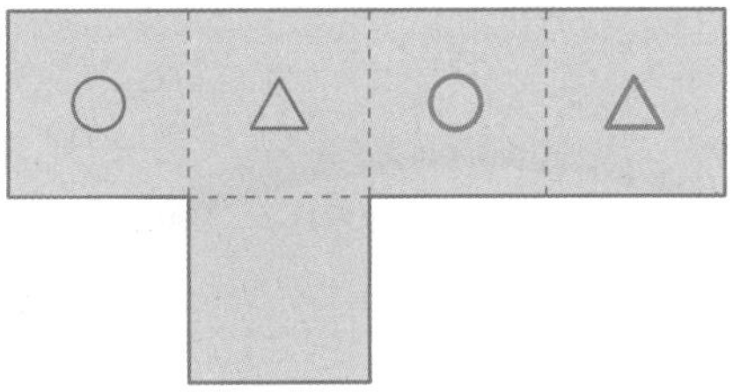

뚜껑이 없는 상자는 면이
5개이고, 마주 보는
평행한 면은 2쌍이야.

1

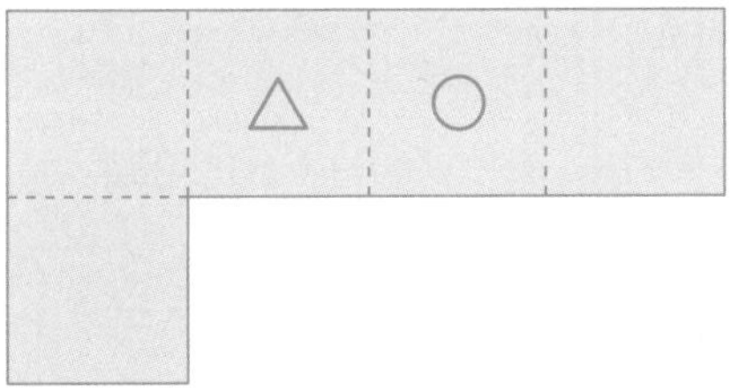

2

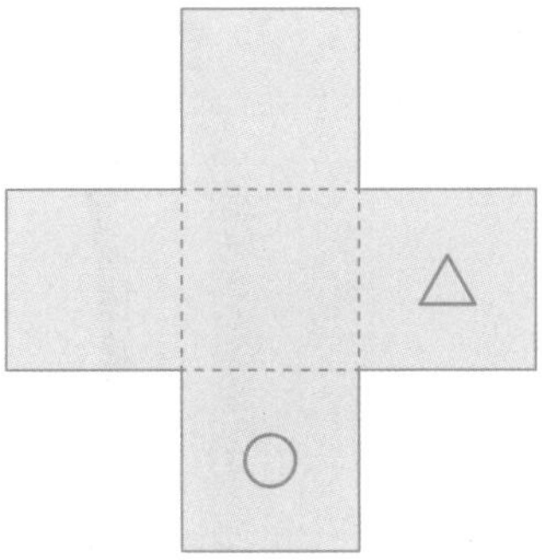

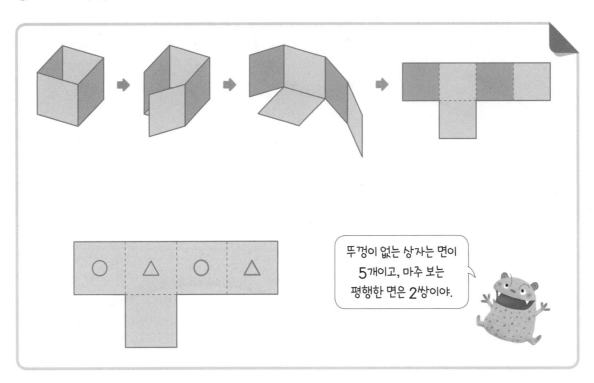

3

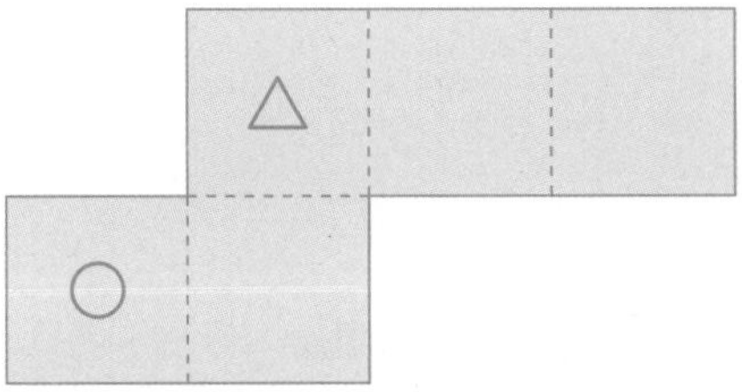

4

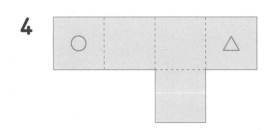

5

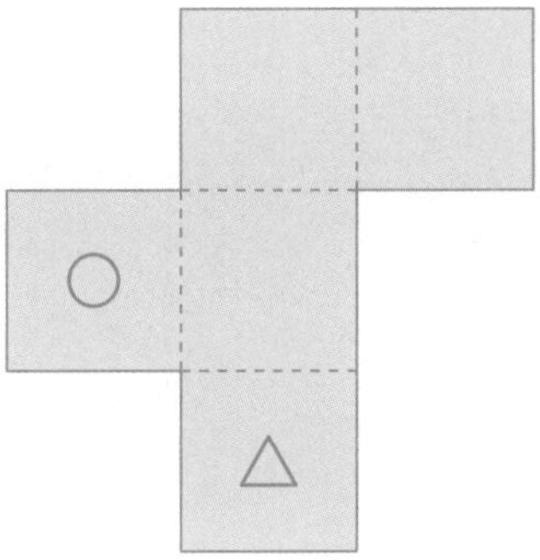

6

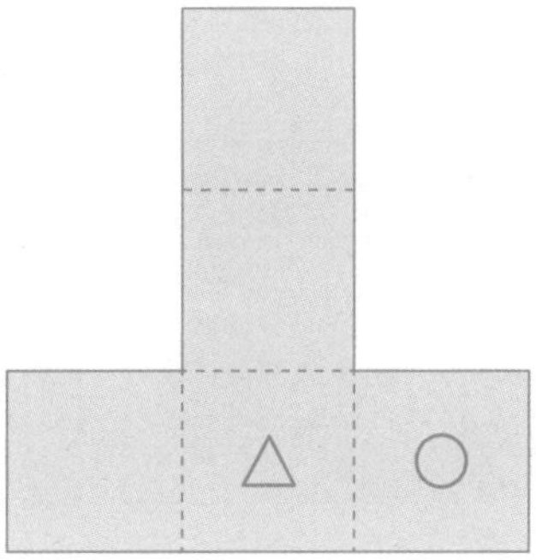

7

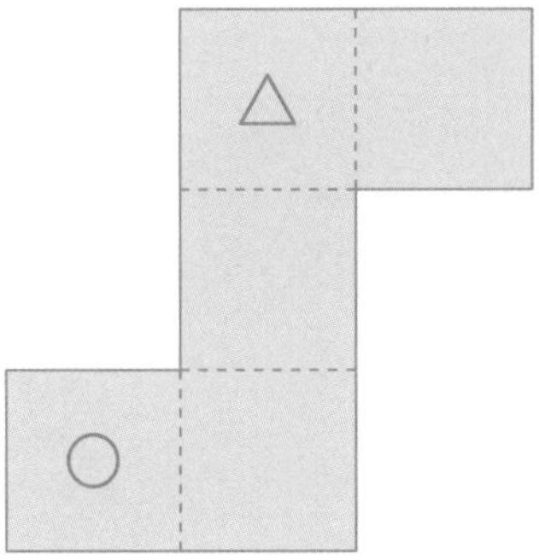

8

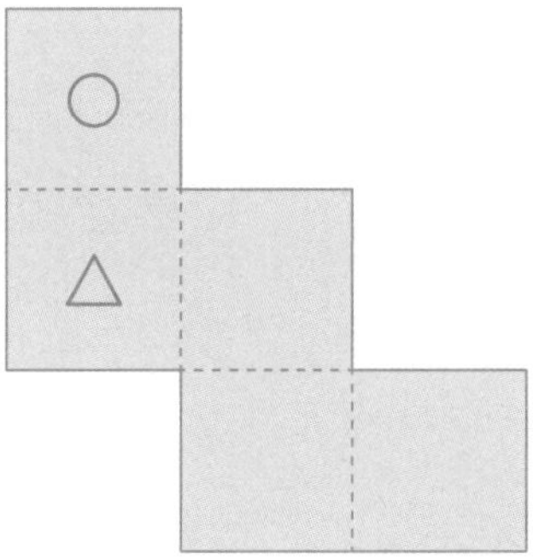

바닥면

✏️ 뚜껑이 없는 정육면체 상자의 전개도입니다. 상자의 바닥면에 색칠해 보시오.

평행한 두 쌍의 면을 뺀 나머지 면이 바닥면이지.

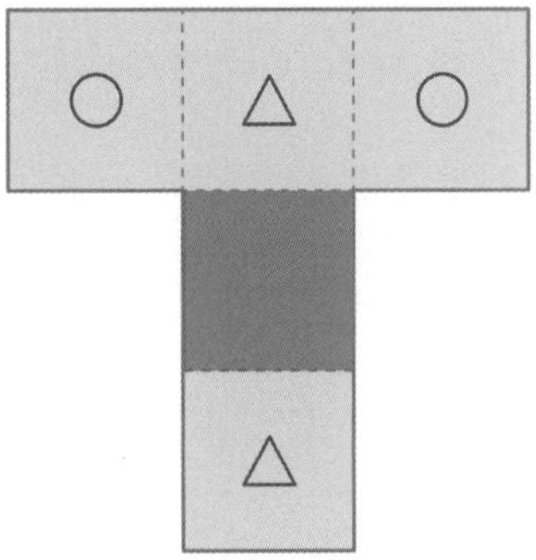

1

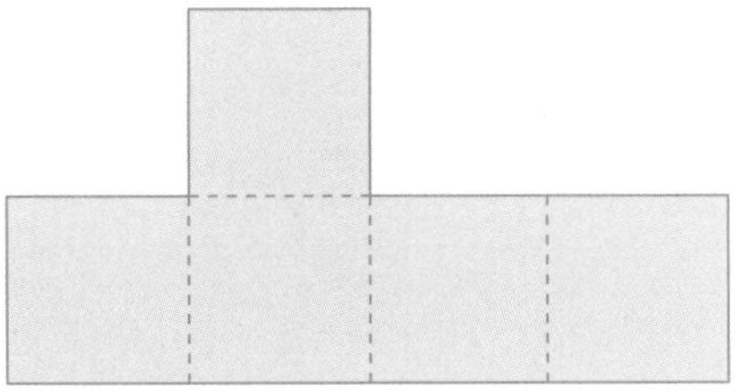

2

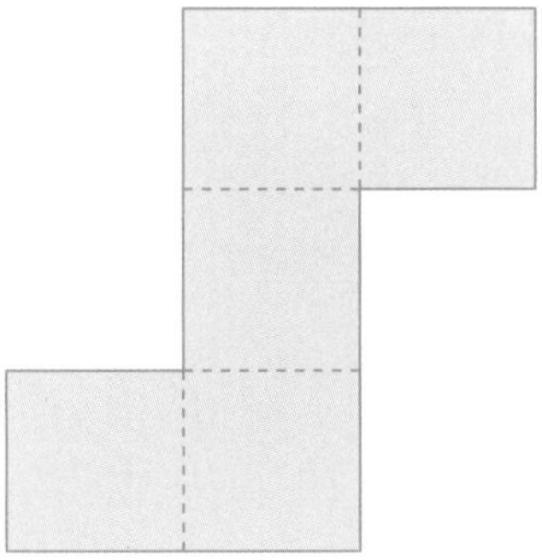

3

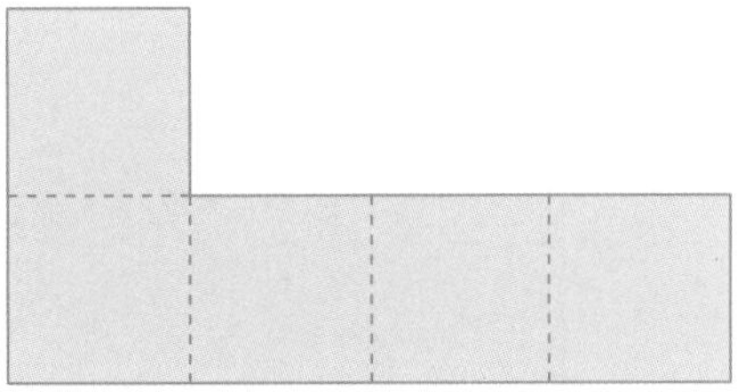

4

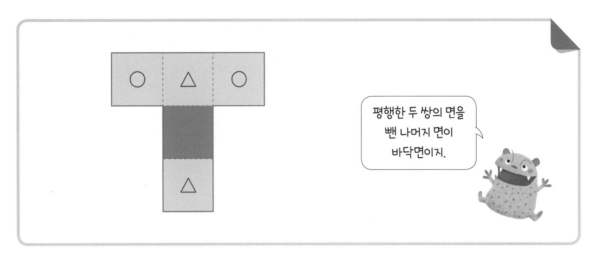

5

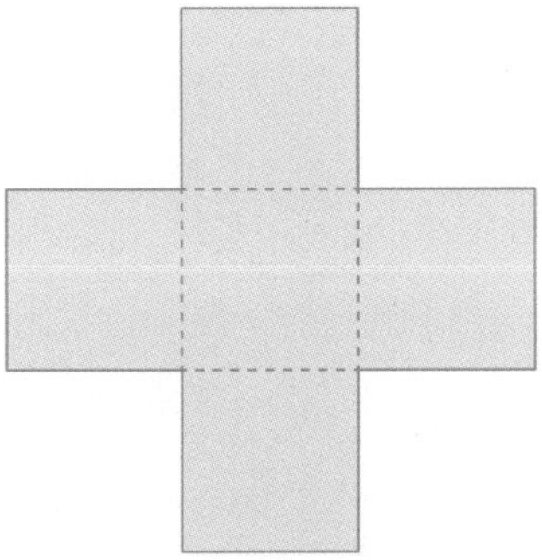

6

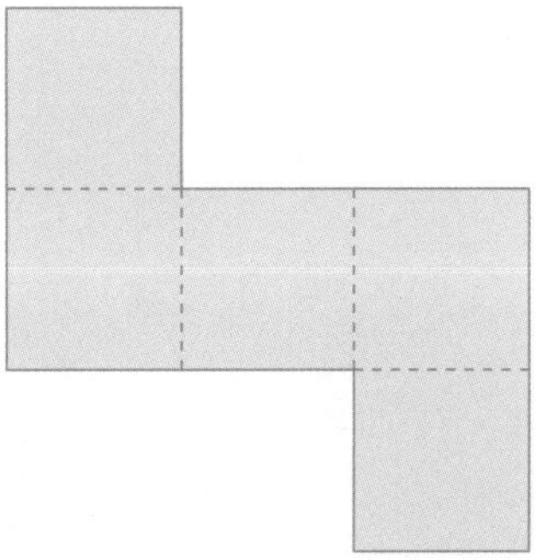

7

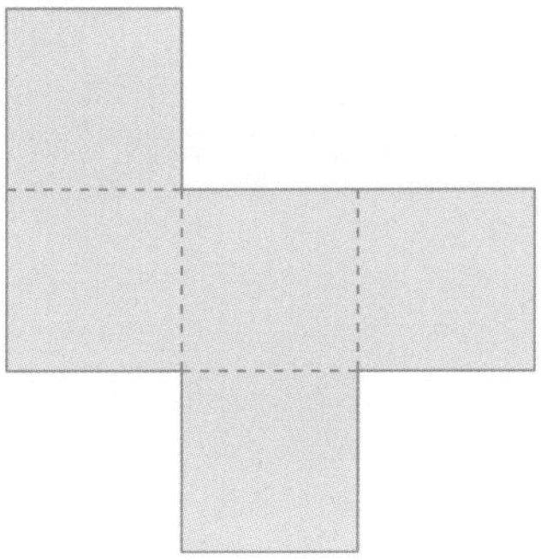

8

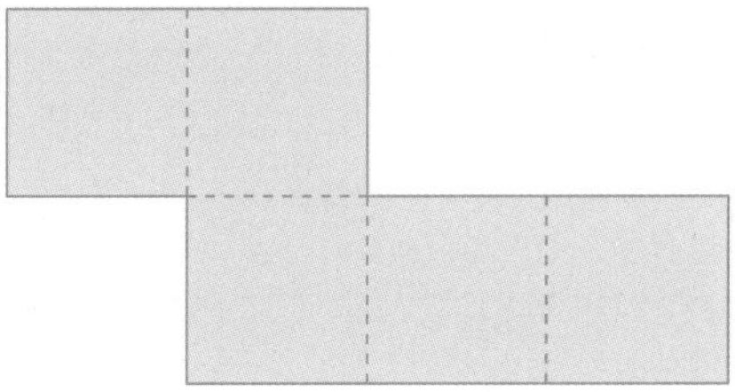

9

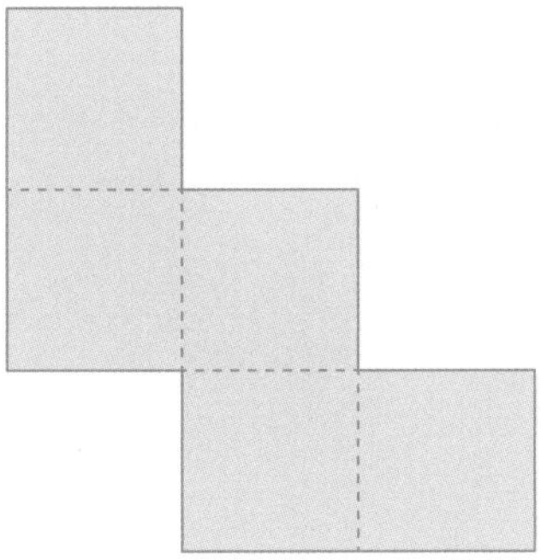

10

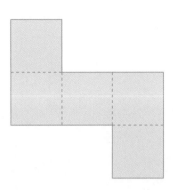

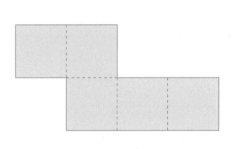

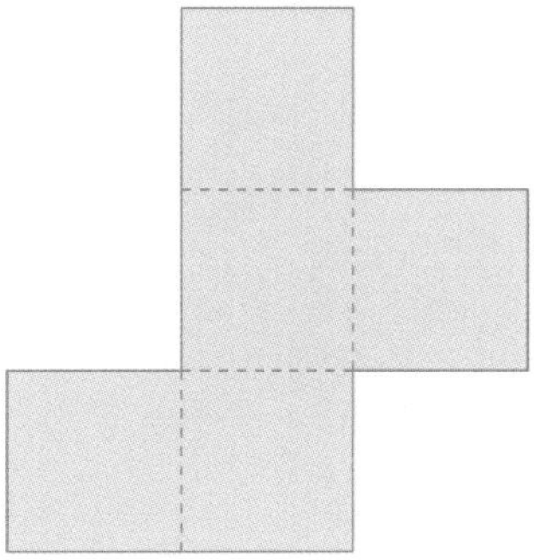

##

3일 전개도 찾기

✏️ 뚜껑이 없는 정육면체 상자의 전개도가 아닌 것에 ✕표 하시오.

접었을 때 서로 겹치는
면이 있음

접은 모양을 생각하면서
겹치는 면이 있는지 살펴봐.

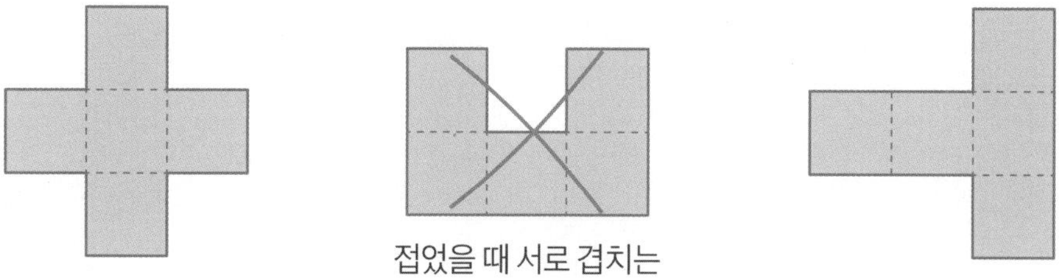

1

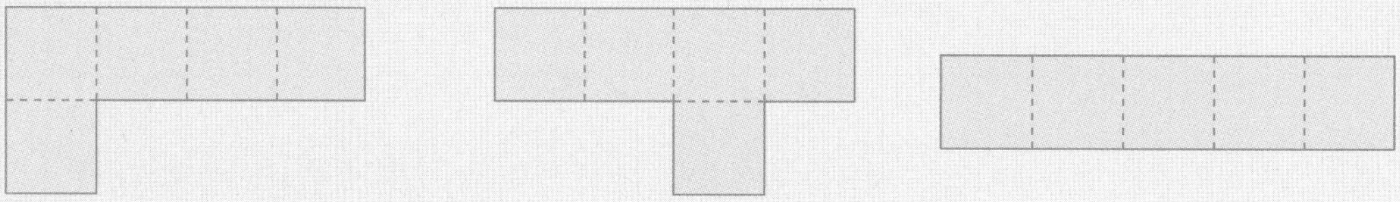

2

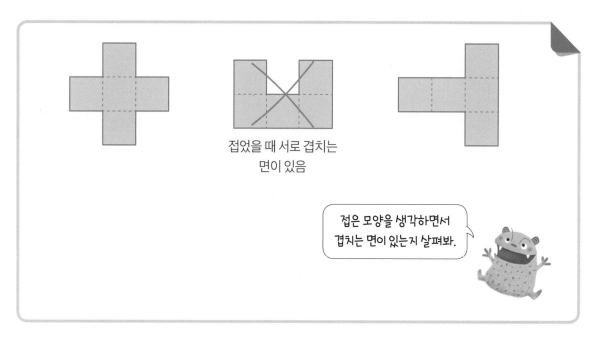

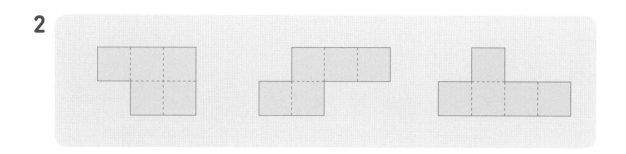

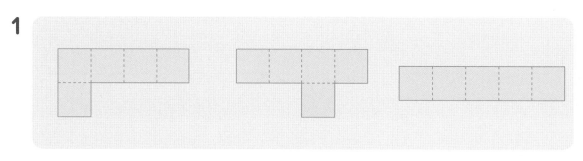

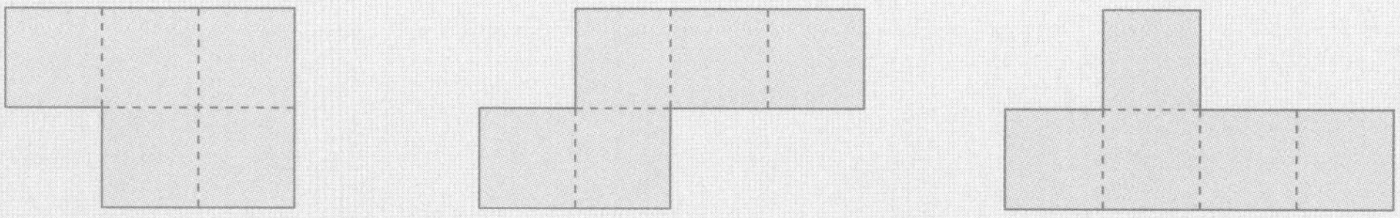

3

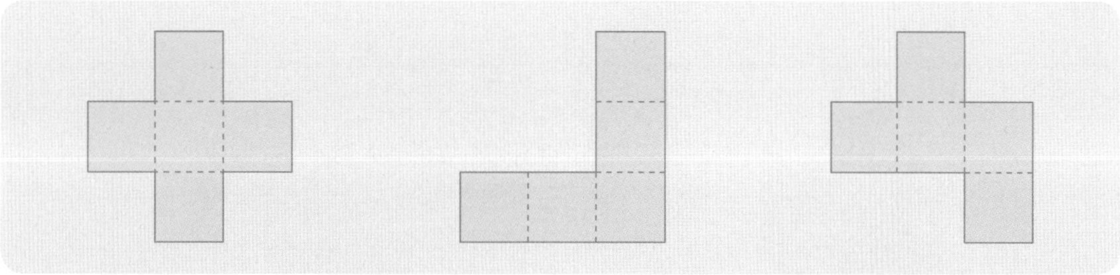

4

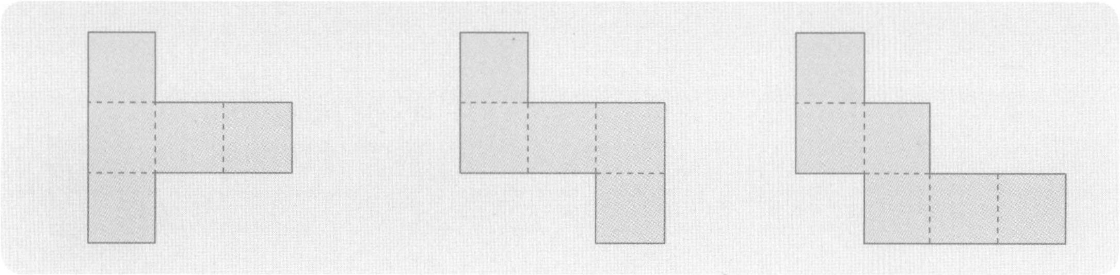

5

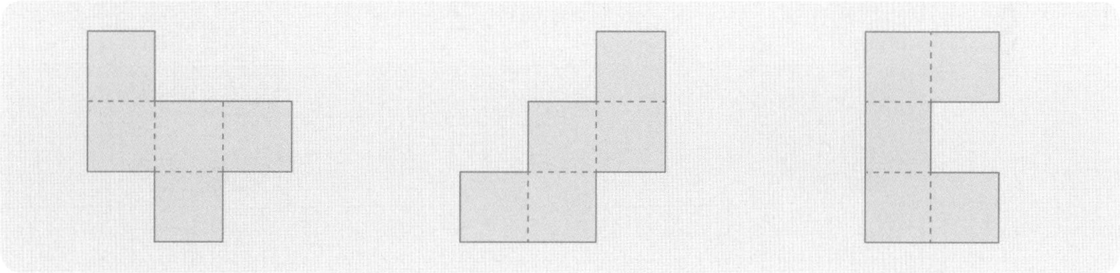

6

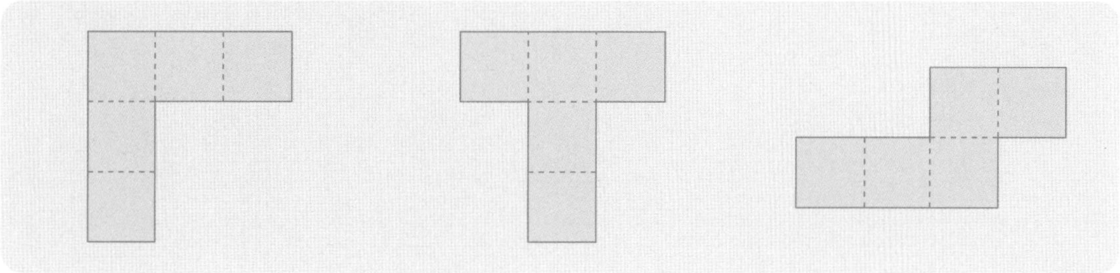

4일 무늬 그리기

✏️ 뚜껑이 없는 상자 옆면에 모두 똑같은 무늬가 있습니다. 전개도에 알맞은 무늬를 그려 보시오.

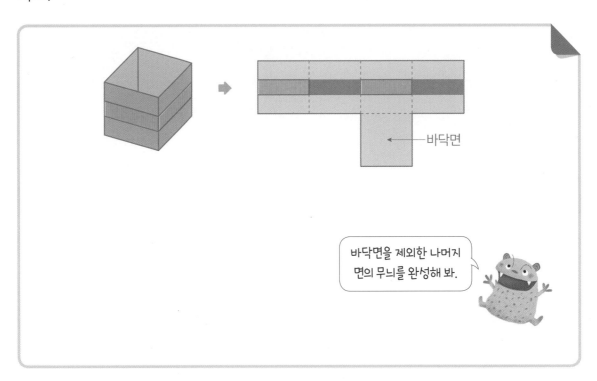

바닥면

바닥면을 제외한 나머지 면의 무늬를 완성해 봐.

1

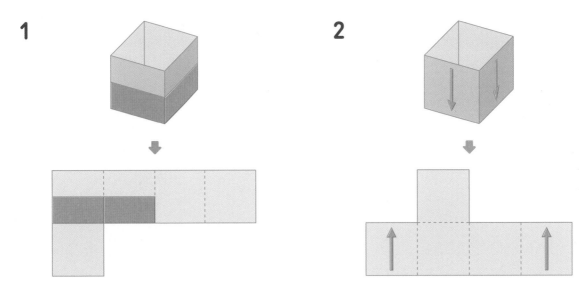

3

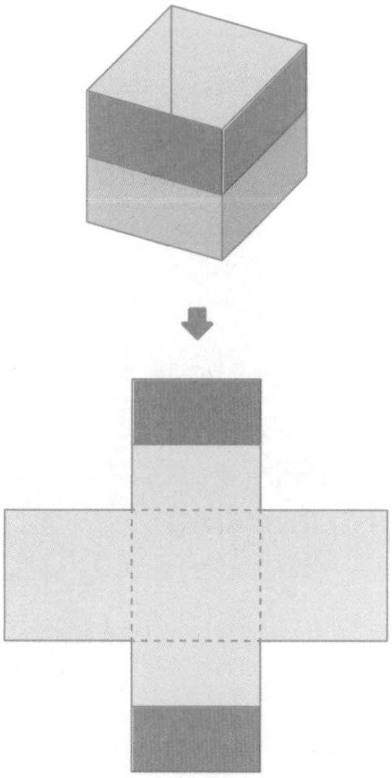

4

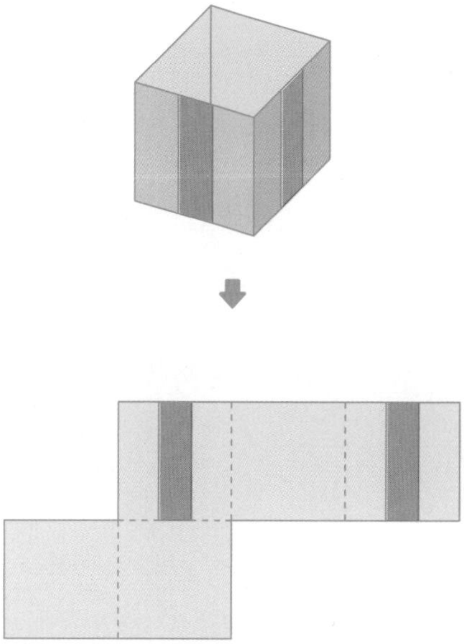

5

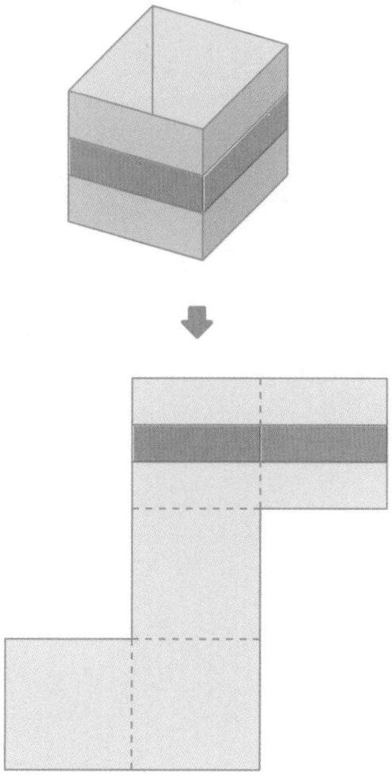

6

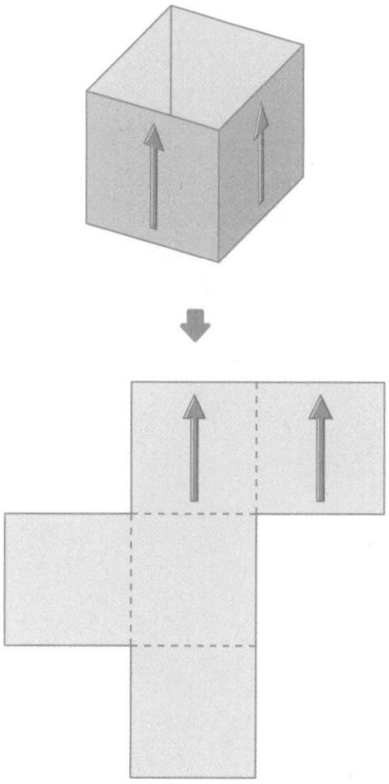

전개도 접기

 전개도를 접었을 때 만들어지는 모양에 ○표 하시오.

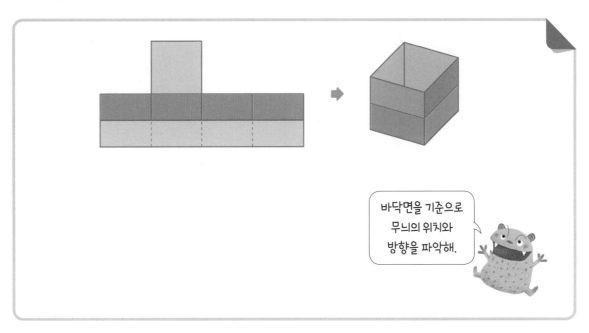

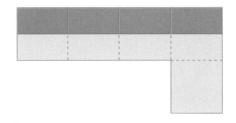

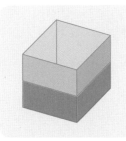 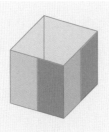 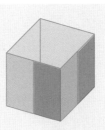 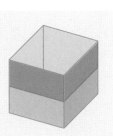

2

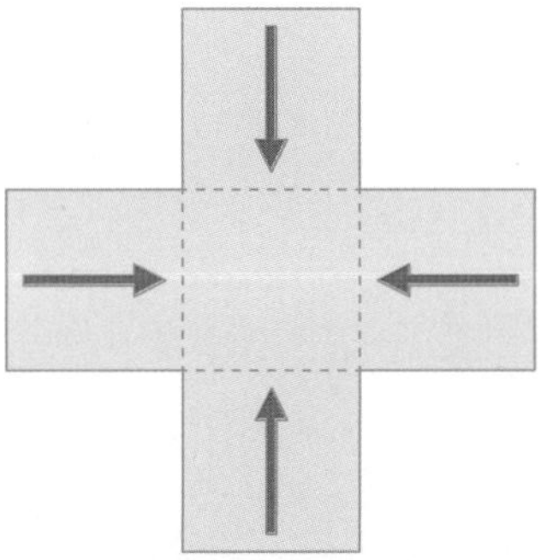

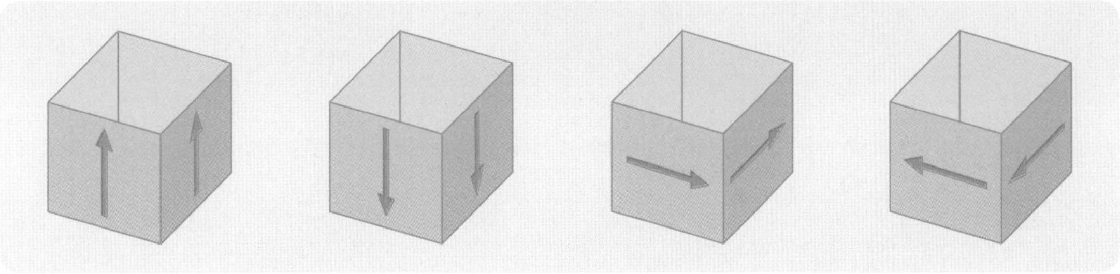

3

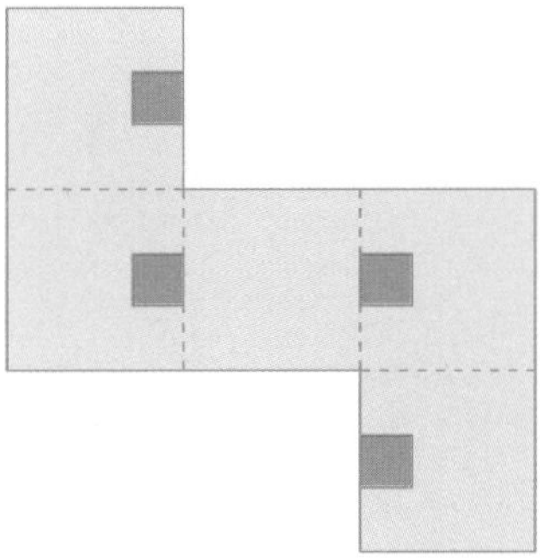

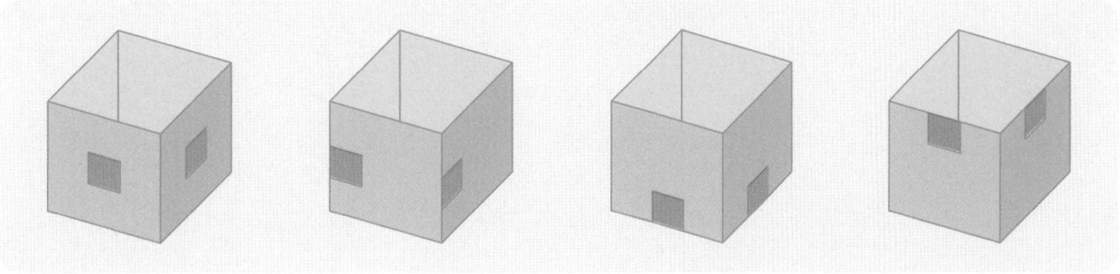

✏️ 뚜껑이 없는 정육면체 상자의 전개도입니다. 전개도를 접었을 때 평행한 면끼리 같은 모양으로 표시해 보시오.

1

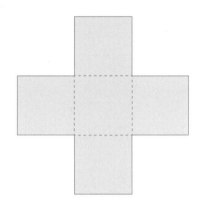

2

✏️ 뚜껑이 없는 정육면체 상자의 전개도입니다. 상자의 바닥면에 색칠해 보시오.

3

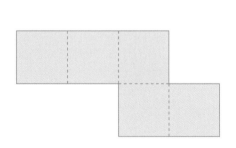

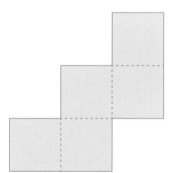

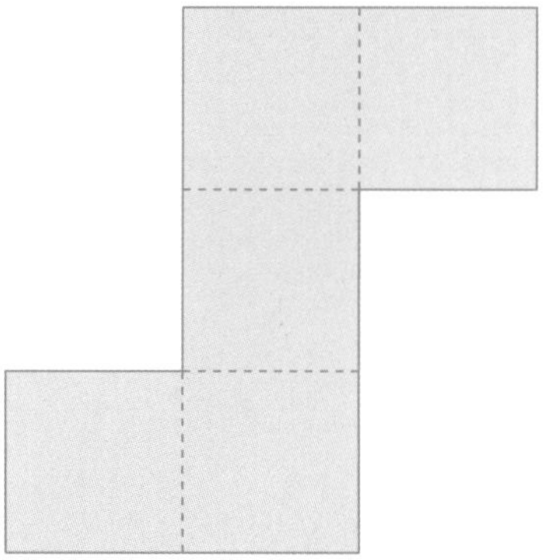

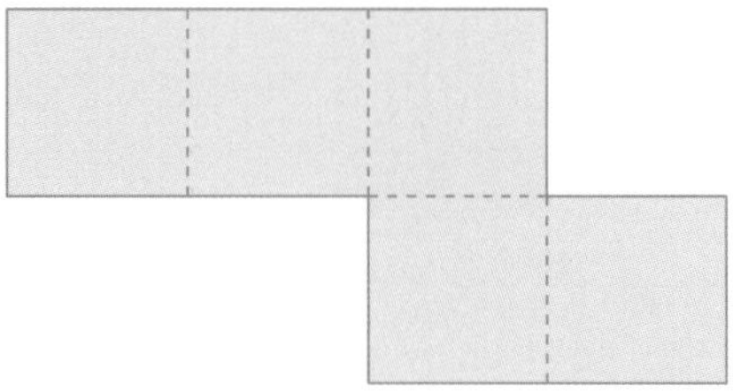

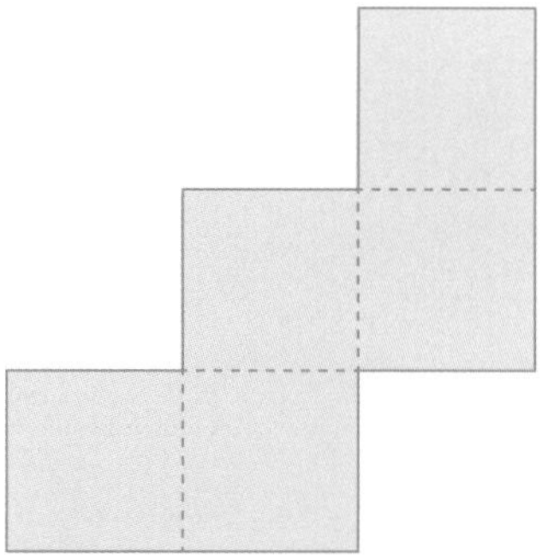

뚜껑이 없는 정육면체 상자의 전개도가 아닌 것에 ╳표 하시오.

5

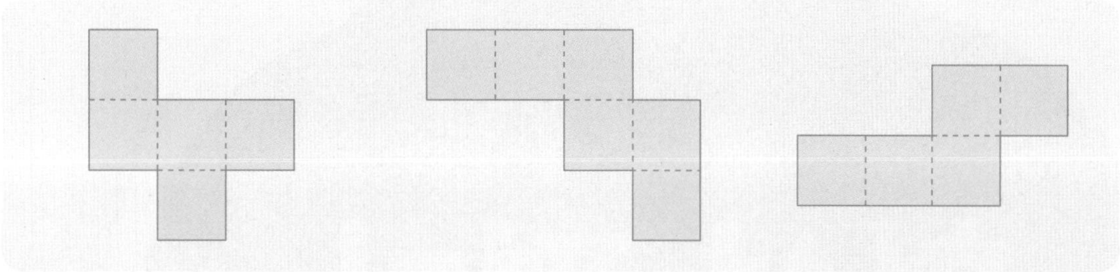

뚜껑이 없는 상자 옆면에 모두 똑같은 무늬가 있습니다. 전개도에 알맞은 무늬를 그려 보시오.

6

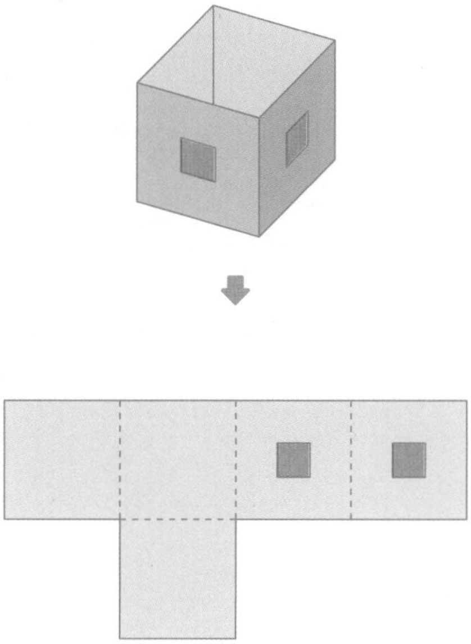

7

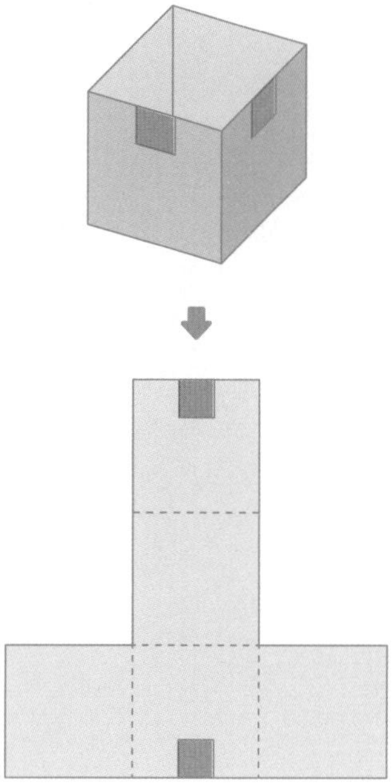

형성 평가

- 형성 평가에는 앞서 공부한 4주 차의 유형이 순서대로 나옵니다.
- 문제가 틀리면 몇 주 차인지 확인하여 반드시 다시 한번 복습합니다.

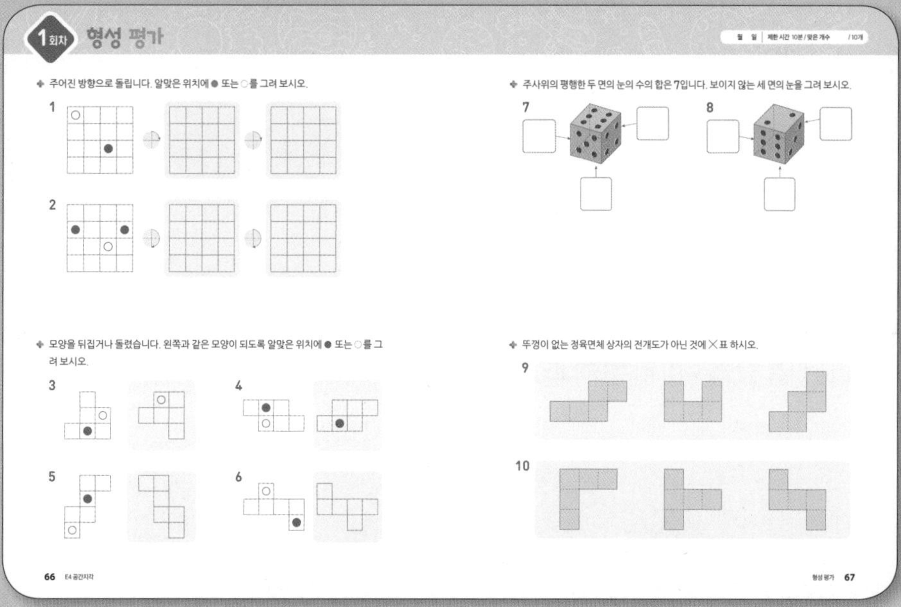
1회차 형성 평가

월 일 | 제한 시간 10분 / 맞은 개수 /10개

- 주어진 방향으로 돌립니다. 알맞은 위치에 ● 또는 ○를 그려 보시오.

1

2

- 모양을 뒤집거나 돌렸습니다. 왼쪽과 같은 모양이 되도록 알맞은 위치에 ● 또는 ○를 그려 보시오.

3

4

5

6

- 주사위의 평행한 두 면의 눈의 수의 합은 7입니다. 보이지 않는 세 면의 눈을 그려 보시오.

7

8

- 뚜껑이 없는 정육면체 상자의 전개도가 아닌 것에 ╳표 하시오.

9

10

66 E4 공간지각

형성 평가 67

1회차 형성 평가

✤ 주어진 방향으로 돌립니다. 알맞은 위치에 ● 또는 ○를 그려 보시오.

1

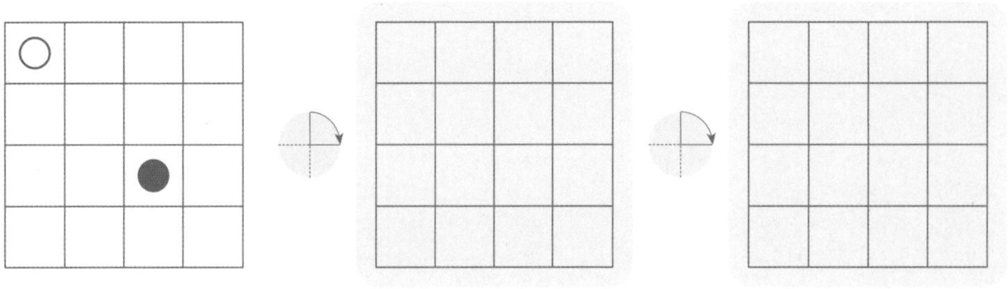

2

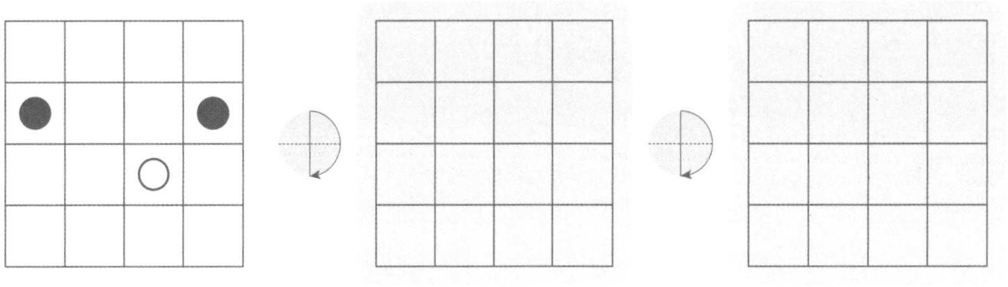

✤ 모양을 뒤집거나 돌렸습니다. 왼쪽과 같은 모양이 되도록 알맞은 위치에 ● 또는 ○를 그려 보시오.

3

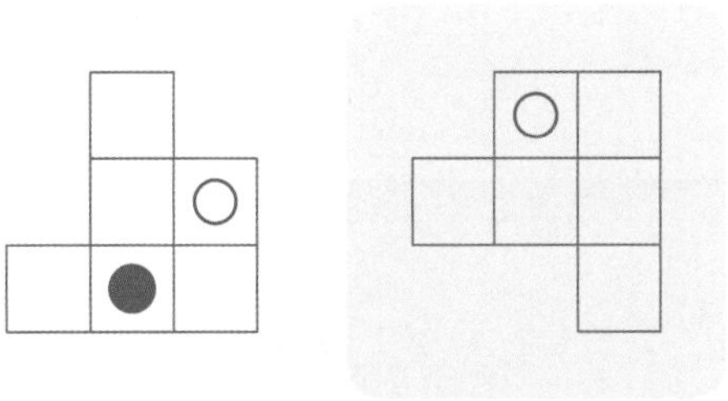

4

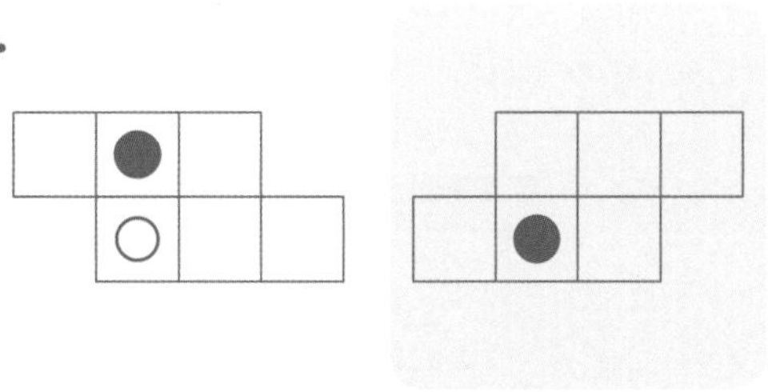

5

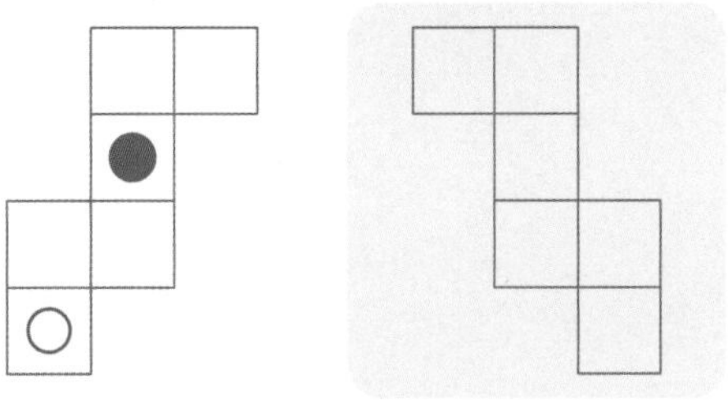

6

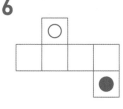

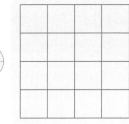

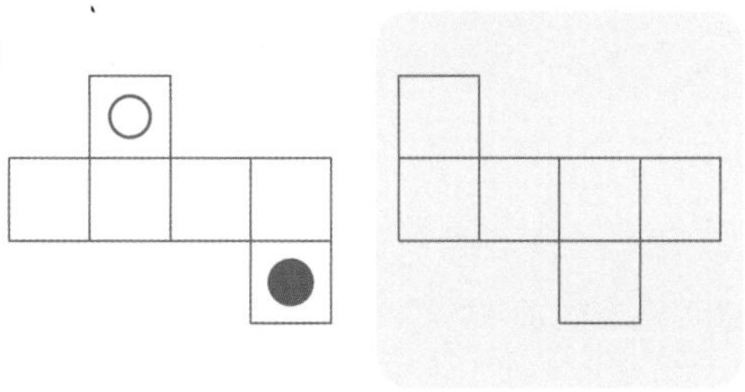

✚ 주사위의 평행한 두 면의 눈의 수의 합은 7입니다. 보이지 않는 세 면의 눈을 그려 보시오.

7

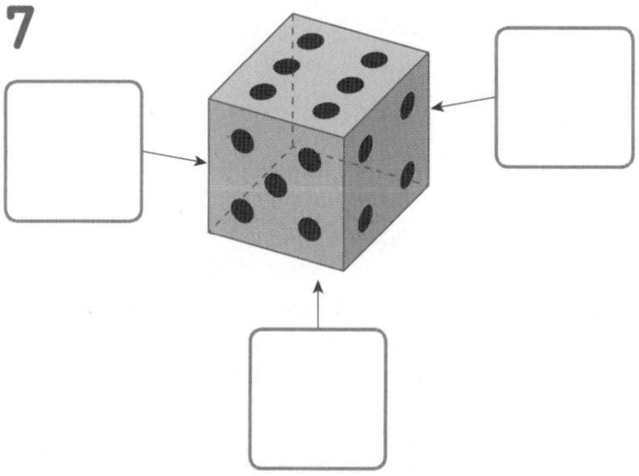

8

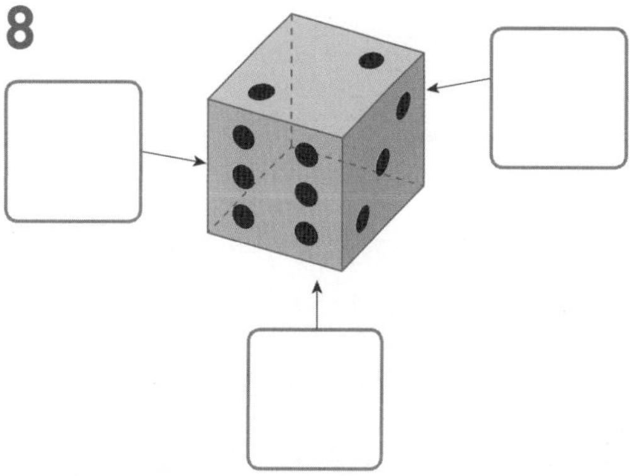

✚ 뚜껑이 없는 정육면체 상자의 전개도가 아닌 것에 ╳표 하시오.

9

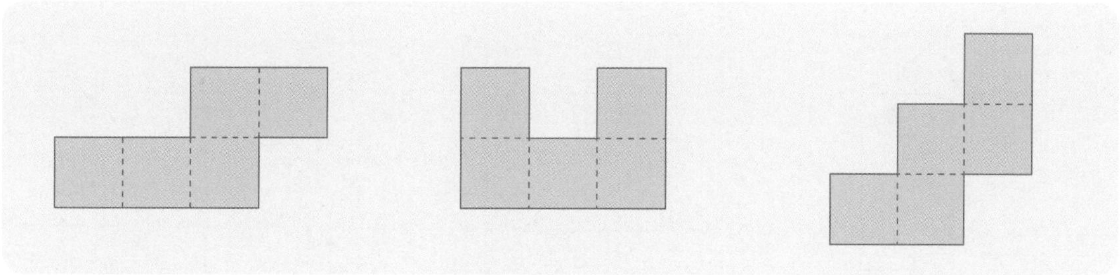

10

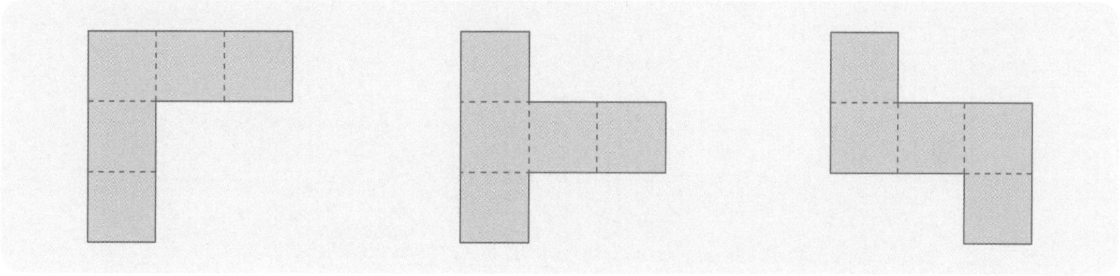

2회차 형성 평가

✚ 돌려서 겹쳐지면 같은 모양입니다. 왼쪽과 같은 모양에 ○표 하시오.

1

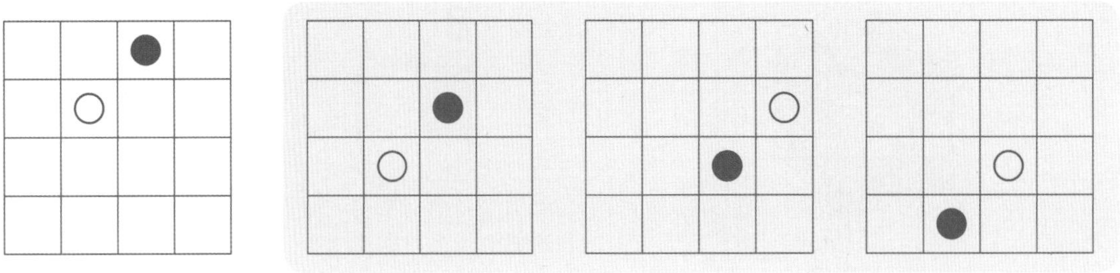

2

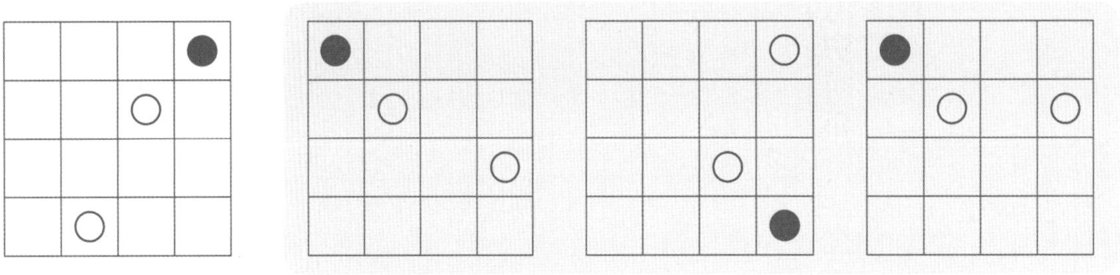

✚ 오른쪽으로 뒤집습니다. 알맞은 위치에 ● 또는 ○를 그려 보시오.

3

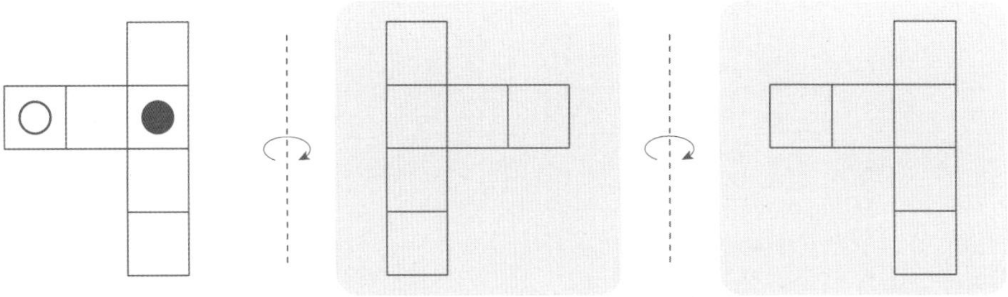

4

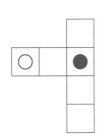

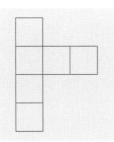

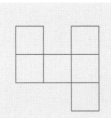

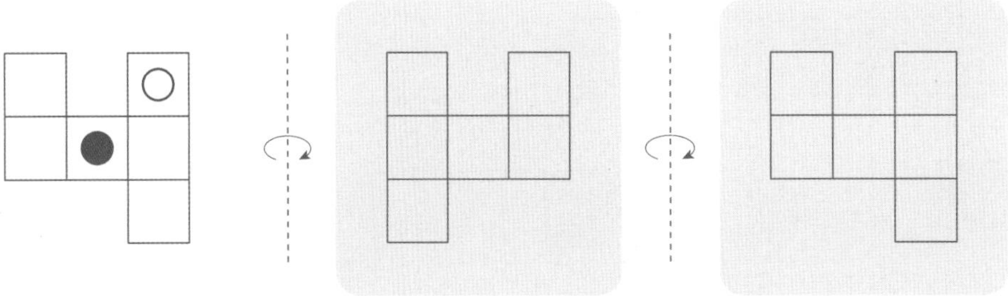

✚ 다음 전개도로 주사위를 만듭니다. 주사위의 평행한 두 면의 눈의 수의 합이 7이 되도록 눈을 알맞게 그려 보시오.

5

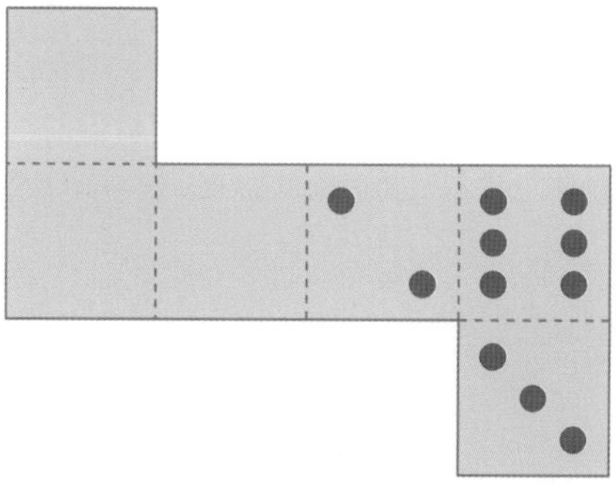

6

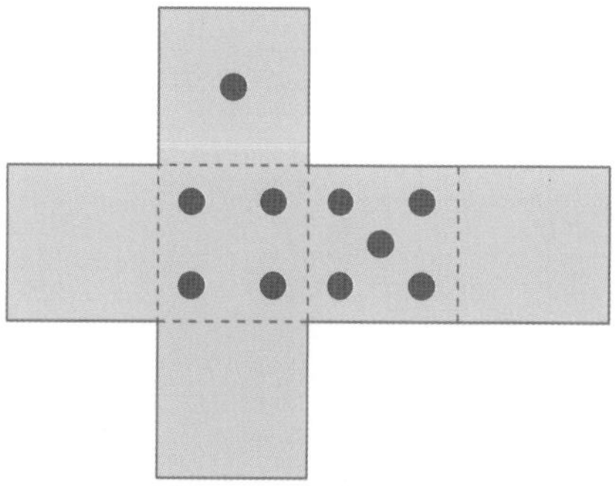

✚ 뚜껑이 없는 정육면체 상자의 전개도입니다. 상자의 바닥면에 색칠해 보시오.

7

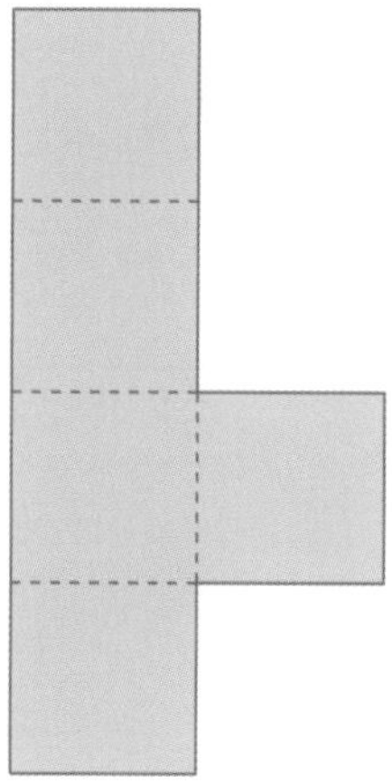

8

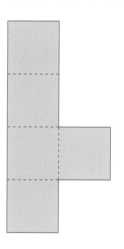

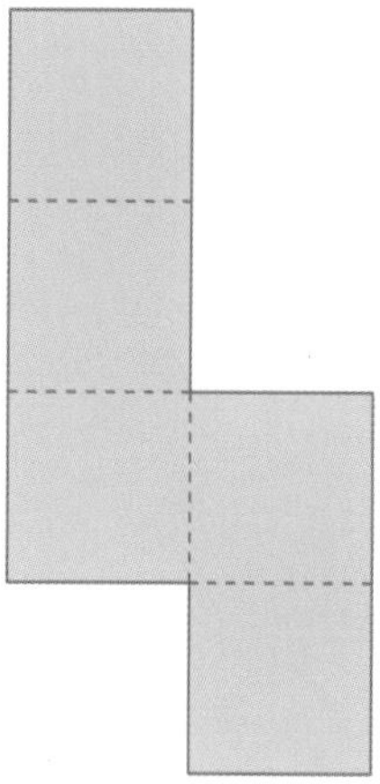

3회차 형성 평가

✚ 오른쪽으로 뒤집습니다. 알맞은 위치에 ● 또는 ○를 그려 보시오.

1

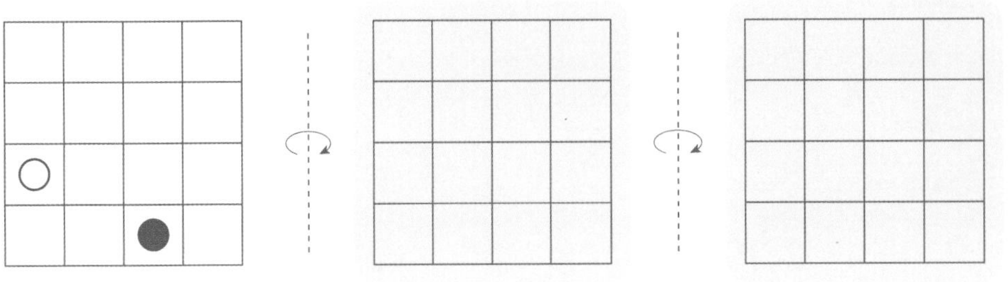

2

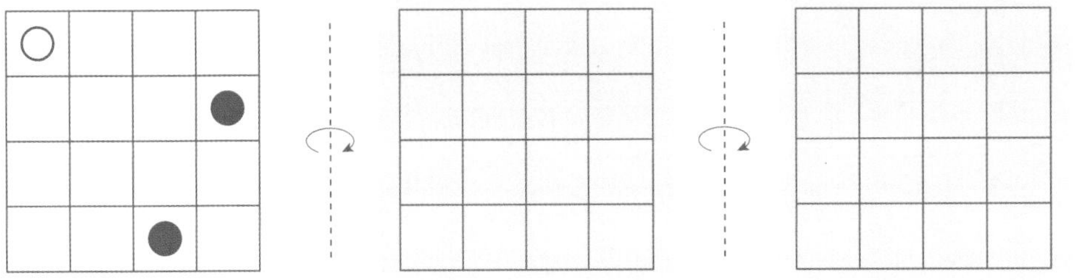

✚ 뒤집어서 겹쳐지면 같은 모양입니다. 왼쪽과 같은 모양에 ○표 하시오.

3

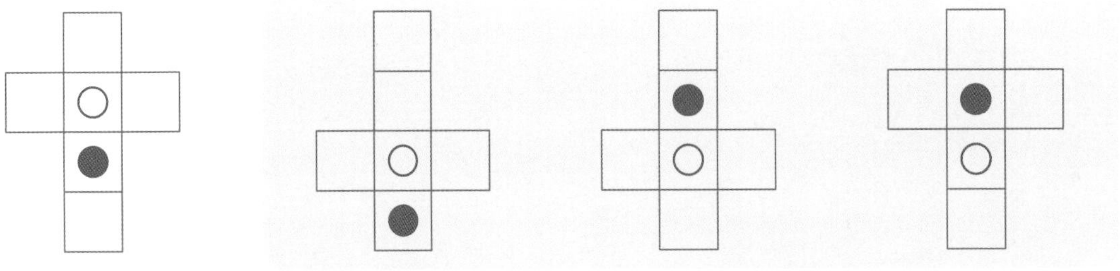

4

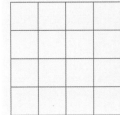

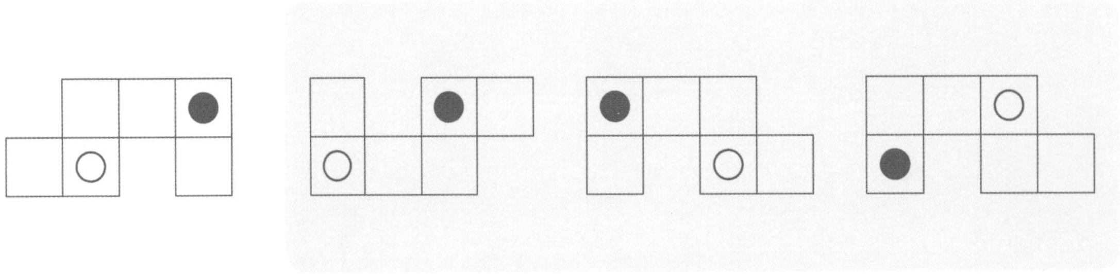

✚ 색칠한 면과 평행한 면에 색칠하시오.

5

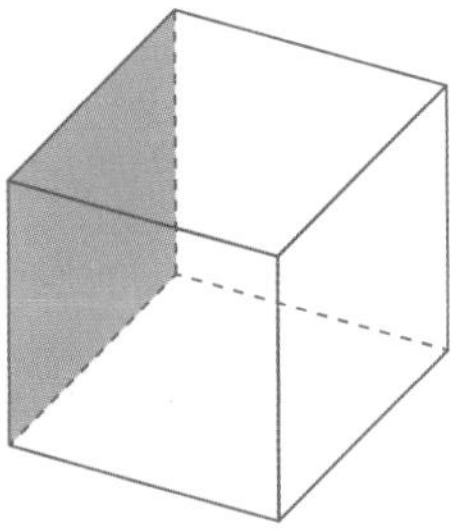

6

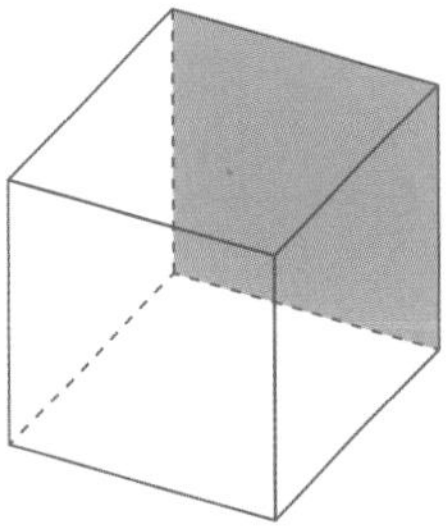

✚ 뚜껑이 없는 상자 옆면에 모두 똑같은 무늬가 있습니다. 전개도에 알맞은 무늬를 그려 보시오.

7

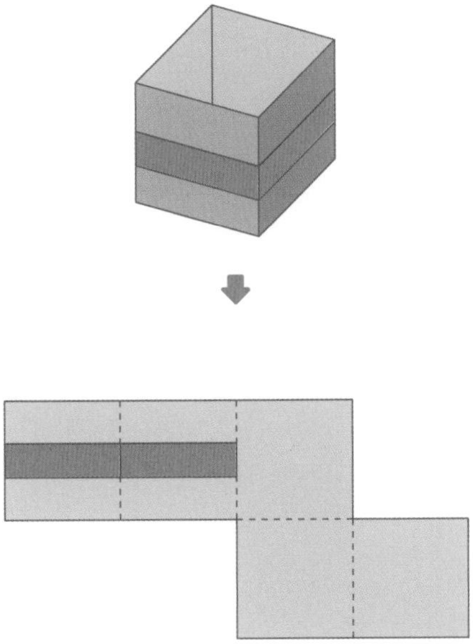

8

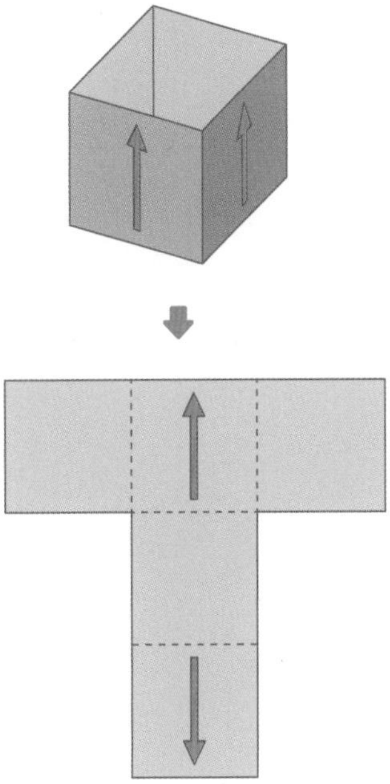

4회차 형성 평가

✤ 뒤집어서 겹쳐지면 같은 모양입니다. 왼쪽과 같은 모양에 ○표 하시오.

1

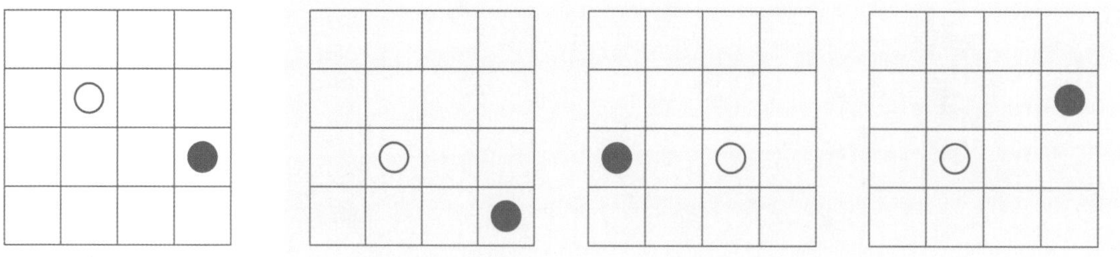

2

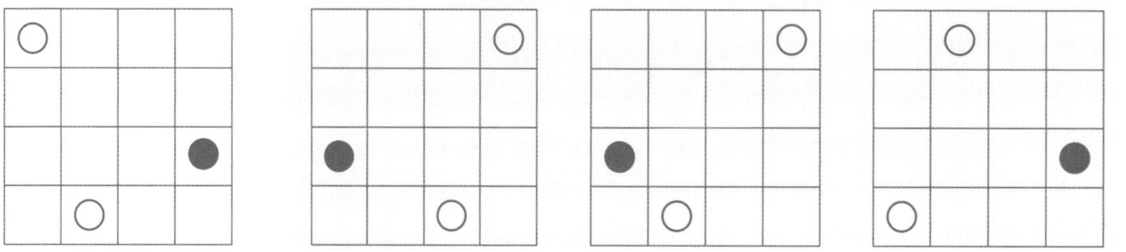

✤ 주어진 방향으로 계속 돌립니다. 알맞은 위치에 ● 또는 ○를 그려 보시오.

3

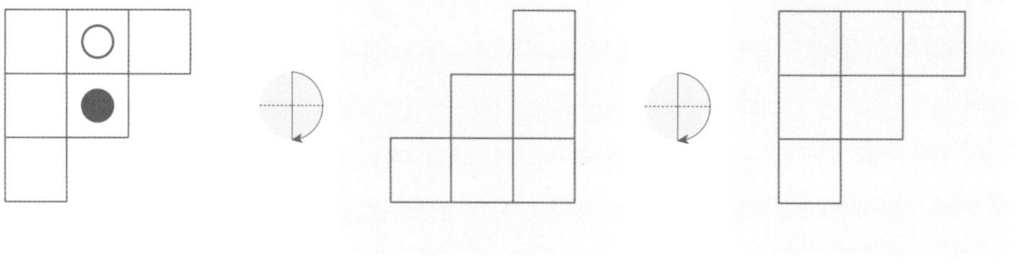

4

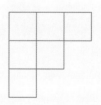

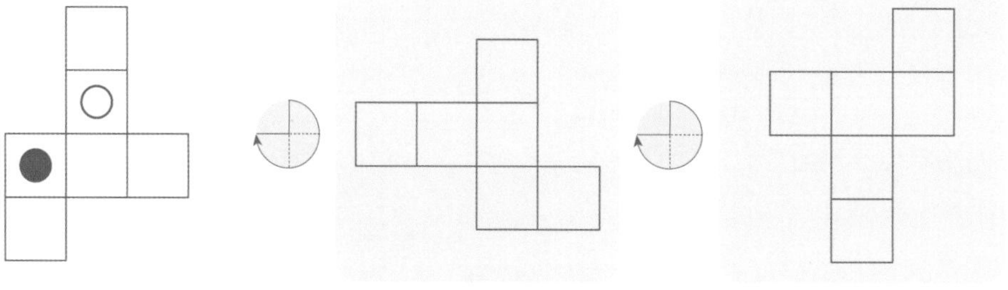

✚ 다음 전개도로 주사위를 만듭니다. 주사위의 평행한 두 면의 눈의 수의 합이 7이 되도록 눈을 알맞게 그려 보시오.

5

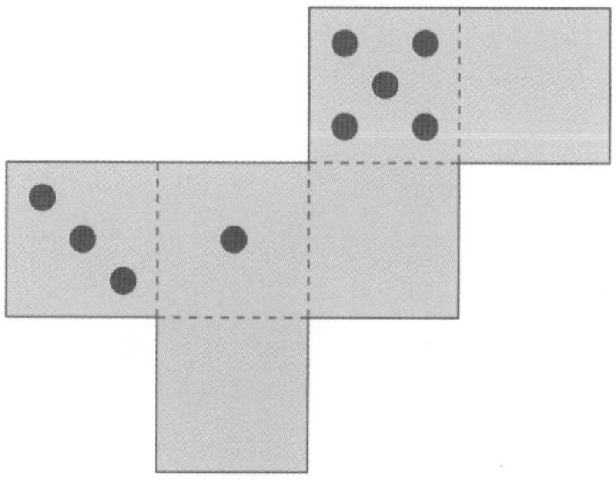

6

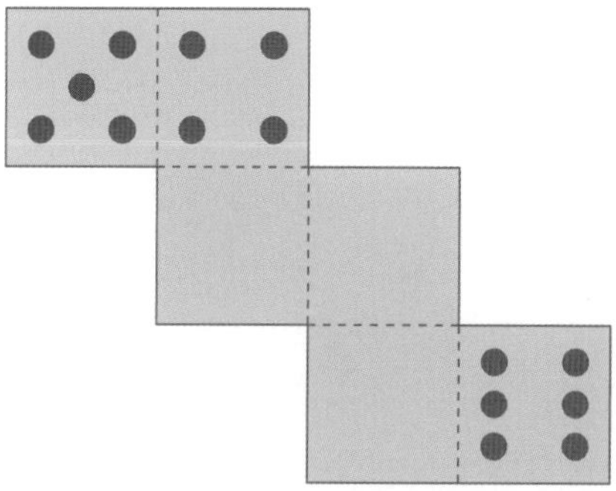

✚ 뚜껑이 없는 정육면체 상자의 전개도입니다. 전개도를 접었을 때 평행한 면끼리 같은 모양으로 표시해 보시오.

7

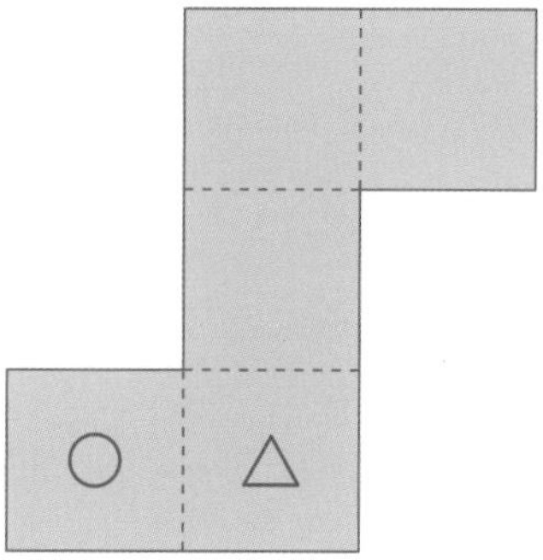

8

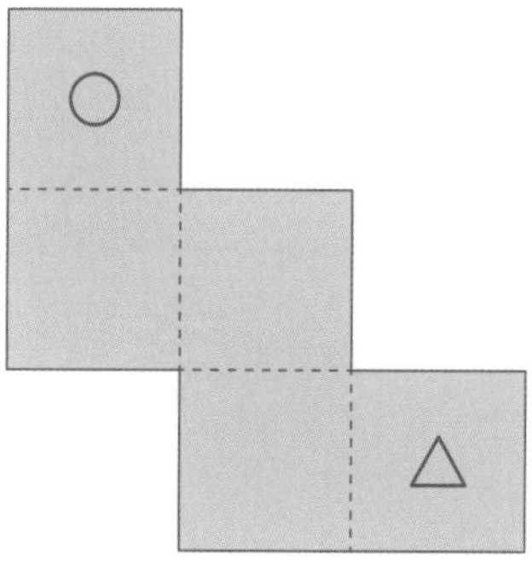

5회차 형성 평가

✚ 모양을 뒤집거나 돌렸습니다. 왼쪽과 같은 모양이 되도록 알맞은 위치에 ● 또는 ○를 그려 보시오.

1

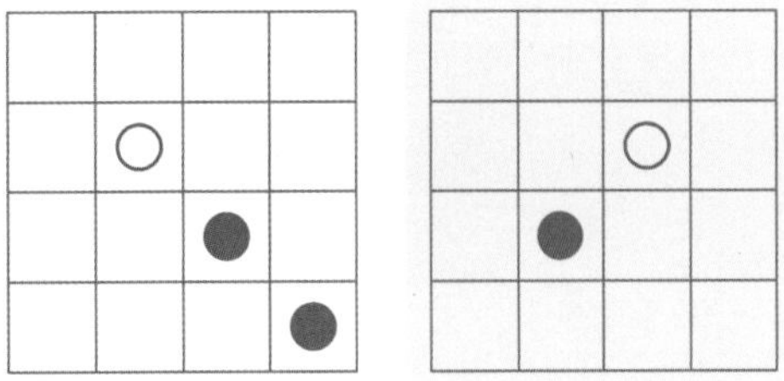

2

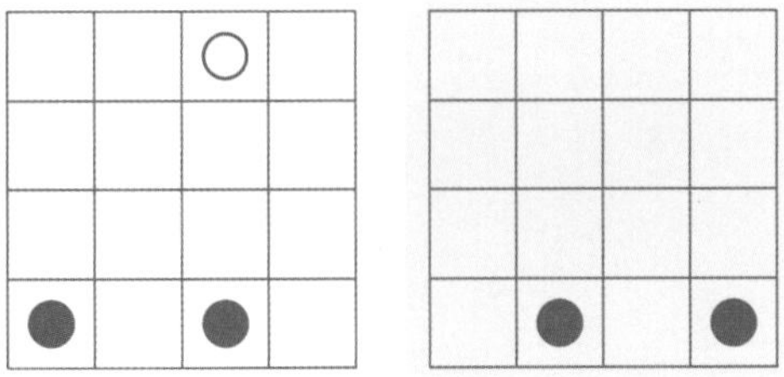

3

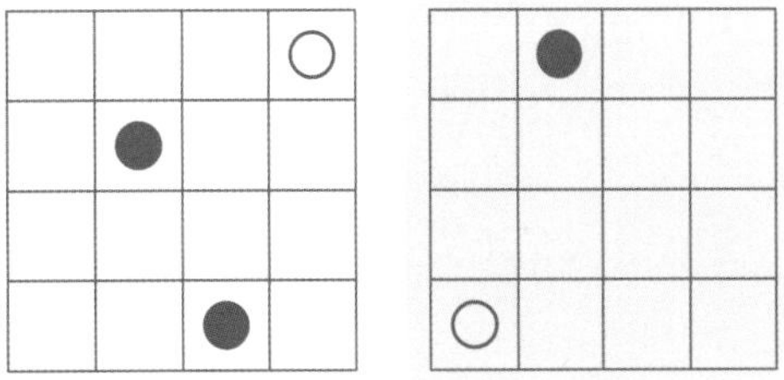

4

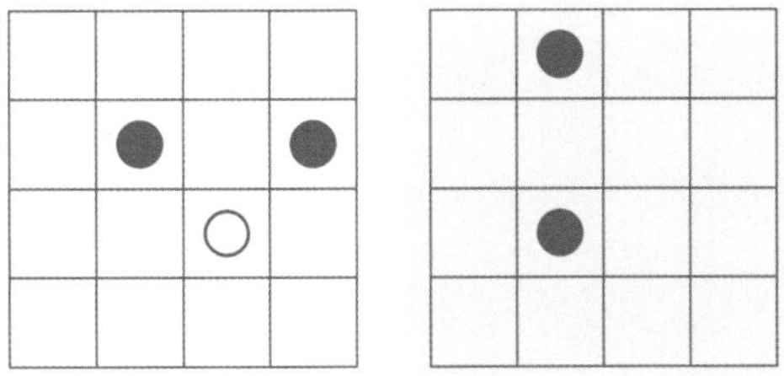

✚ 돌려서 겹쳐지면 같은 모양입니다. 왼쪽과 같은 모양에 ◯표 하시오.

5

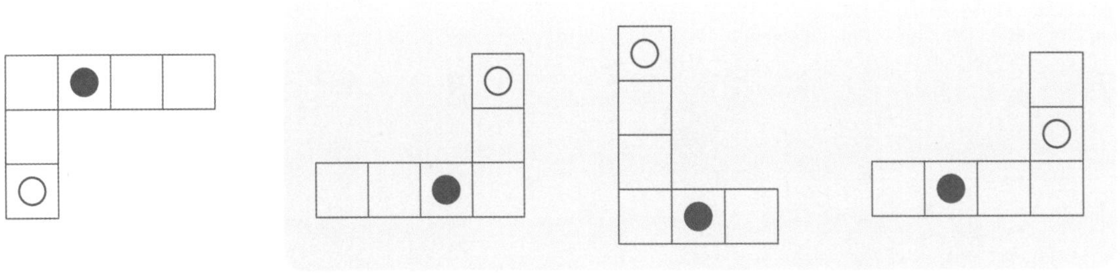

6

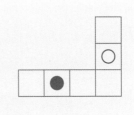

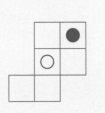

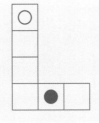

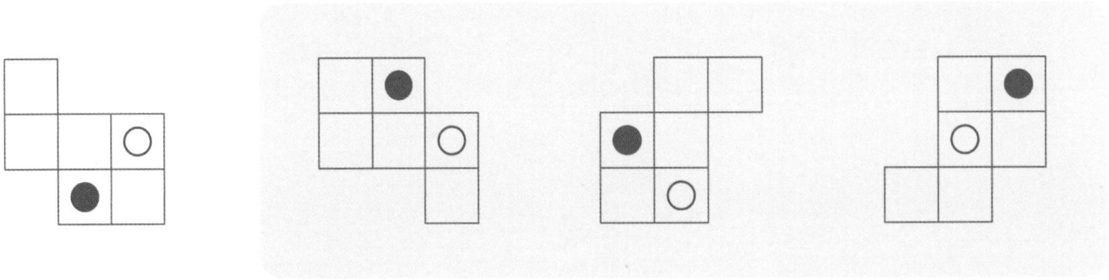

✚ 전개도를 접었을 때 평행한 면끼리 같은 모양으로 표시해 보시오.

7

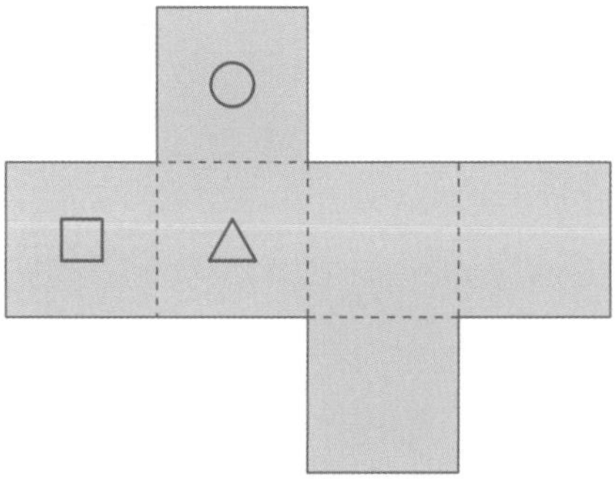

8

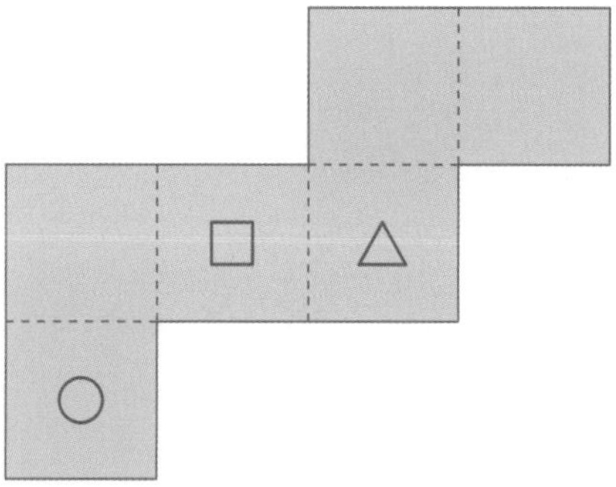

✚ 전개도를 접었을 때 만들어지는 모양에 ◯표 하시오.

9

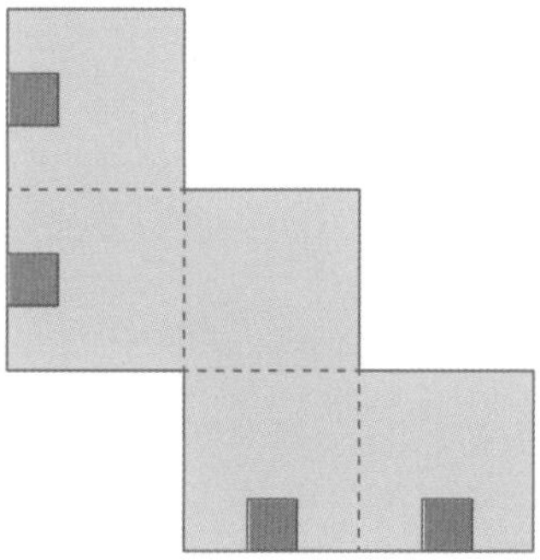

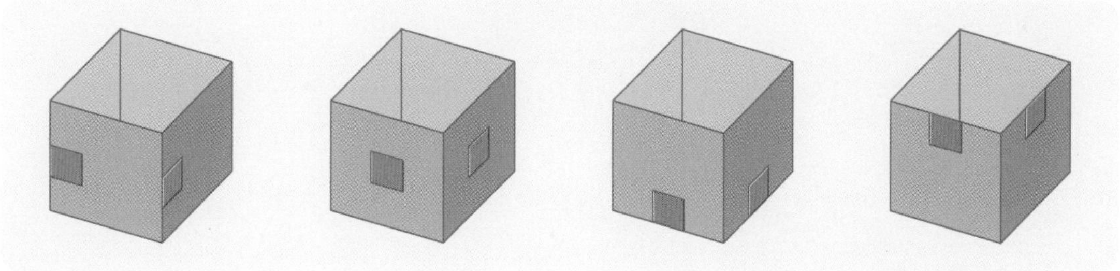

Memo